The In

仙桃

By Jeff Pepper
and
Xiao Hui Wang

Version 106-T

The Immortal Peaches

仙桃

A Story in Traditional Chinese and Pinyin,
600 Word Vocabulary Level

Book 3 of the *Journey to the West* Series

Written by Jeff Pepper
Chinese translation by Xiao Hui Wang

Based on the original 14th century story by Wu Chen'en, and the unabridged translation by Anthony C. Yu

Book design by Jeff Pepper
Cover design by Katelyn Pepper
Illustrations by Next Mars Media

ISBN: 978-1952601095

ACKNOWLEDGMENTS

We are deeply indebted to the late Anthony C. Yu for his incredible four-volume translation, *The Journey to the West* (1983, revised 2012, University of Chicago Press).

And many thanks to Xing Chen and Lynn Xiaoling for their help in reviewing the manuscript, and the team at Next Mars Media for their terrific illustrations.

AUDIOBOOK

A complete Chinese language audio version of this book is available free of charge. To access it, go to YouTube.com and search for the Imagin8 Press channel. There you will find free audiobooks for this and all the other books in this series.

You can also visit our website, www.imagin8press.com, to find a direct link to the YouTube audiobook, as well as information about our other books.

PREFACE

Sun Wukong, the Handsome Monkey King, is one of the most famous figures in Chinese literature. He is one of the main characters in *Journey to the West* (西遊記, xī yóu jì), an epic novel written in the 16th Century by Wu Chen'en. *Journey to the West* is loosely based on an actual journey by the Buddhist monk Xuanzang, who traveled from the Chinese city of Chang'an westward to India in 629 A.D. and returned 17 years later with priceless knowledge and texts of Buddhism. Over the course of the book, the little band of travelers face the 81 tribulations that Xuanzang had to endure to attain Buddhahood.

Each book in our *Journey to the West* series covers a short section of this epic story. In our first story, *The Rise of the Monkey King*, we introduce Sun Wukong and cover the events in the first two chapters: we learn how the little stone monkey was born, became king of his troop of monkeys, left his home to pursue enlightenment, received the name Sun Wukong (literally, "ape seeking the void") from his teacher, and returned home to defend his subjects from a ravenous monster. In the second book, *Trouble in Heaven*, Sun Wukong tries to defend his troop of monkeys but manages to offend just about everyone in Heaven, and finally, calling himself the Great Sage Equal to Heaven, he sets events in motion that cause him some serious trouble.

In this, the third book in the *Journey to the West* series, we wrap up the story of Sun Wukong's early years, before he joins the monk Xuanzang's little band of travelers and journeys to the West. Once again the Monkey King's unlimited ambitions and uncontrolled appetites land him in deep trouble. He is given a job in heaven taking care of the Emperor's Garden of Immortal Peaches, but he can't stop himself from eating all the peaches. He impersonates a great Immortal and crashes a party in Heaven, stealing the guests' food and drink and barely escaping to his loyal troop of monkeys back on Earth. And in the end, he battles an entire army of Immortals and men, and discovers that even calling himself the Great Sage Equal to Heaven does not make him equal to everyone in Heaven.

If you are familiar with mythology in other cultures, you'll probably recognize Sun Wukong as a trickster god, playing a role similar to Loki in Norse mythology, the Coyote and Raven in myths of Native Americans, Hermes in Greek mythology, and Anansi the Spider in African folktales. Trickster gods often oppose the will of other gods, using their wits to defeat those who are bigger and more powerful than themselves. And like other trickster gods, Sun Wukong can change his appearance, as you'll see in this book when he (temporarily) eludes Erlang, the powerful warrior and nephew of the Jade Emperor.

While other gods are wise, thoughtful and reserved,

trickster gods constantly get in trouble because of their greed, foolishness, and general lack of discipline, and have to escape their troubles through smooth words and clever strategies. Here, for example, the wise Emperor gives Sun Wukong a good responsible job in Heaven as a caretaker of a garden, but the monkey ruins it by eating the peaches he is supposed to be watching, and then mistakes a visiting group of gentle maidens for monsters out to steal his peaches.

Why do so many cultures have a trickster like Sun Wukong in their myths and folktales? The novelist Neil Gaiman offers a fascinating answer in his novel *Anansi Boys*. According to Gaiman, the power of the bigger and older gods is based on their strength, but the trickster's power comes from his intellect and his ability to come up with winning strategies and then persuade others to do his bidding. In this way he shows us humans that even though we are not as powerful as the lion, as swift as the cheetah, or as intimidating as the elephant, we can use our wits to outwit and outplay others and come out the winner. People may admire the great gods of folklore like Thor, Zeus, Odin, Jupiter and, in China, the Jade Emperor, but they love to see how little tricksters like the monkey Sun Wukong manage to outwit them and hold their own in the courts of Heaven.

All of the stories in this series are written in simple language suitable for beginning Chinese learners at the 600-word HSK 3 level. Whenever we introduce a word or phrase that isn't part of HSK 3 and was not already defined in a previous book, it's defined in a footnote on the page where it first appears. All words are listed in the glossary at the end, where we also note whether a word is part of HSK 3 or, if not, in which book it first appears.

In the main body of the book, each page of Chinese characters is matched with a facing page of pinyin. This is unusual for Chinese novels but we feel it's important. By including the pinyin, as well as a full English version and glossary at the end, we hope that every reader, no matter what level of mastery they have of the Chinese language, will be able to understand and enjoy the story we tell here.

Our website, www.imagin8press.com, contains links to other books you might enjoy, including other books in this series as they become available.

We hope you like this book, and we'd love to hear from you! Write us at info@imagin8press.com.

Jeff Pepper and Xiao Hui Wang
Pittsburgh, Pennsylvania, USA
August 2017, revised May 2020

The Immortal Peaches
仙桃

Xiān Táo

Wǒ qīn'ài de háizi, nǐ jīntiān yītiān doū zài ràng wǒ jiǎng guānyú Sūn Wùkōng – nàgè Měi Hóu Wáng de gùshì. Wǒ yīzhí zài gàosù nǐ yào děngdào shuìjiào yǐqián wǒ cái huì jiǎng tā de gùshì. Nàme xiànzài shì shuìjiào de shíhòu le, suǒyǐ wǒ xiànzài yào gàosù nǐ Hóu Wáng zài tiānshàng rénjiān zhǎo máfan de lìng yī gè gùshì. Jīn wǎn wǒ huì gěi nǐ jiǎng tā hé táozi de gùshì!

Wǒ yǐjīng gàosù guò nǐ, zhège Hóu Wáng shì chūshēng zài Àolái guó Huāguǒ Shān shàng de yī zhǐ xiǎo shí hóu. Yīnwèi tā fāxiàn le Shuǐlián Dòng de mìmì cái chéng le Hóu Wáng. Zhè yǐhòu, Huāguǒ Shān shàng de suǒyǒu hóuzi dōu zhù zài Shuǐlián Dòng lǐ, ānquán kuàilè. Dànshì Hóu Wáng xiǎng yào yīzhí huózhe, suǒyǐ tā qù le hěn yuǎn dì dìfāng, gēn yī wèi dàshī xuéxí, dàshī gěi le tā yī gè míngzì jiào Sūn Wùkōng. Tā xué dào le chángshēng bùsǐ de mìmì, hái xué dào le zěnme yòng jīndǒu yún zǒu dé yòu kuài yòu yuǎn. Tā hái yǒu yī

仙桃

我親愛的孩子，你今天一天都在讓我講關於孫悟空 – 那個美猴王的故事。我一直在告訴你要等到睡覺以前我才會講他的故事。那麼現在是睡覺的時候了，所以我現在要告訴你猴王在天上人間找麻煩的另一個故事。今晚我會給你講他和桃子的故事！

我已經告訴過你，這個猴王是出生在奧萊國花果山上的一隻小石猴。因為他發現了水簾洞的秘密才成了猴王。這以後，花果山上的所有猴子都住在水簾洞裡，安全快樂。但是猴王想要一直活著，所以他去了很遠的地方，跟一位大師[1]學習，大師給了他一個名字叫孫悟空。他學到了長生不死的秘密，還學到了怎麼用筋斗雲走得又快又遠。他還有一

[1] 大師 dàshī – grandmaster

gè wǔqì: Jīn Gū Bàng. Tā kěyǐ bǎ tā biàn dé hěn dà, yě kěyǐ bǎ tā biàn dé fēicháng xiǎo fàng zài tā de ěrduǒ lǐ.

Sūn Wùkōng shì yī zhī fēicháng qiángdà de hóuzi, tiānshàng de Yùhuáng Dàdì hěn bùxiǎng tā qù zhǎo máfan, suǒyǐ qǐng Sūn Wùkōng zhù zài tiāngōng lǐ, jiào tā Qí Tiān Dà Shèng. Dàn Sūn Wùkōng méishì zuò. Suǒyǐ tā rènshì le hěnduō péngyǒu, chī le hěnduō hào chī de dōngxī, qù le tiāngōng lǐ de měi yī gè dìfāng, hěn kuàilè dì shēnghuó zhe.

Yùhuáng Dàdì hěn dānxīn Sūn Wùkōng huì yīnwèi méiyǒu gōngzuò lái zhǎo tā de máfan. Suǒyǐ yǒu yītiān tā jiào Sūn Wùkōng lái jiàn tā. Sūn Wùkōng lái le dàn méiyǒu xiàng Yùhuáng Dàdì jūgōng. Tā gāng zǒu jìnlái jiù wèn: “Yùhuáng Dàdì, nǐ zhǔnbèi le shénme lǐwù gěi wǒ zhè zhī lǎo hóuzi?”

Yùhuáng Dàdì shuō: “Wǒ méiyǒu lǐwù gěi nǐ, dànshì wǒ yǒu yī gè gōngzuò gěi nǐ. Qǐng nǐ zhàogù Xiāntáo Yuán. Zhè shì yī gè

個武器：金箍棒。他可以把它變得很大，也可以把它變得非常小放在他的耳朵裡。

孫悟空是一隻非常強大的猴子，天上的玉皇大帝很不想他去找麻煩，所以請孫悟空住在天宮裡，叫他齊天大聖。但孫悟空沒事做。所以他認識了很多朋友，吃了很多好吃的東西，去了天宮裡的每一個地方，很快樂地生活著。

玉皇大帝很擔心孫悟空會因為沒有工作來找他的麻煩。所以有一天他叫孫悟空來見他。孫悟空來了但沒有向玉皇大帝鞠躬。他剛走進來就問："玉皇大帝，你準備了什麼禮物給我這隻老猴子？"

玉皇大帝說："我沒有禮物給你，但是我有一個工作給你。請你照顧仙桃園。這是一個

hěn zhòngyào de gōngzuò. Měitiān dōu yào xiǎoxīn zhàogù!"

Sūn Wùkōng hěn xǐhuān zhè fèn gōngzuò, mǎshàng jiù pǎo dào Xiāntáo Yuán. Tā kàn le kàn sìzhōu. Huāyuán hěn měi hěn xiāng, měi yī gè dìfāng dōu kěyǐ kàn dào měilì de xiǎo shù, shàngmiàn kāizhe měilì de huā, hái yǒu xiàng jīn qiú nàyàng dà de shuǐguǒ.

Xiāntáo Yuán lǐ de tǔdì shén gàosù Sūn Wùkōng, Xiāntáo Yuán li yǒu 3600 kē táo shù. Qián miàn 1200 kē shù shàng de xiǎotáo xūyào 3000 nián de shíjiān cáinéng chī, rúguǒ chī le tāmen jiù huì biàn chéng shénxiān. Zhōngjiān 1200 kē shù shàng de tián táo xūyào 6000 nián de shíjiān cáinéng chī, rúguǒ chī le tāmen jiù kěyǐ jìn tiāngōng, chángshēng bù lǎo. Hòumiàn 1200 kē shù shàng měilì de zǐ táo xūyào 9000 nián cáinéng chī, rúguǒ chī le tāmen

很重要的工作。每天都要小心照顧！”

孫悟空很喜歡這個工作，馬上就跑到仙桃園。他看了看四周。花園很美很香[2]，每一個地方都可以看到美麗的小樹，上面開著美麗的花，還有像金球那樣大的水果。

仙桃園裡的土地神[3]告訴孫悟空，仙桃園裡有 3600 棵[4]桃樹。前面 1200 棵樹上的小桃需要 3000 年的時間才能吃，如果吃了它們就會變成神仙。中間 1200 棵樹上的甜桃需要 6000 年的時間才能吃，如果吃了它們就可以進天宮，長生不老。後面 1200 棵樹上美麗的紫[5]桃需要 9000 年才能吃，如果吃了它們

[2] 香 xiāng – fragrant
[3] 土地神 tǔdì shén – a local earth spirit
[4] 棵 kē – (measure word)
[5] 紫 zǐ – purple

jiù huì huó dé xiàng tiāndì, tài yáng, yuèliàng nàyàng cháng.

Sūn Wùkōng ài shàng le Xiāntáo Yuán. Tā shénme dìfāng dōu bù qù le, yě bù qù zhǎo tā de péngyǒu le. Tā měitiān dōu zài Xiāntáo Yuán lǐ. Yǒu yītiān tā kàn dào yīxiē táozi yǐjīng néng chī le. Tā fēicháng xiǎng chī yī gè, dàn tā bùnéng nàyàng zuò, yīnwèi yǒu yuán gōng zài Xiāntáo Yuán lǐ, tā bùxiǎng ràng tāmen kàn dào tā chī táozi. Suǒyǐ tā ràng yuán gōng xiān líkāi Xiāntáo Yuán. Zhǐ liú tā yī gè rén le! Tā pá shàng shù, chī le yī gè táozi. Fēicháng hào chī, tā yòu chī le yī gè, ránhòu yòu shì yī gè, tā yīzhí zài chī, zuìhòu tā chī dé tài bǎo le.

Jǐ tiān yǐhòu, Wángmǔ Niáng Niáng (jiùshì Yùhuáng Dàdì de māmā) juédìng kāi yī gè yànhuì. Tā xiǎng yào zài yànhuì shàng fàng yīxiē xiāntáo. Tā ràng tā de qī yī xiānnǚ - hóng yī xiānnǚ, lán yī xiānnǚ, bái yī xiānnǚ, hēi yī xiānnǚ, zǐ yī xiānnǚ, huáng yī xiān

就會活得像天地、太陽、月亮那樣長。

孫悟空愛上了仙桃園。他什麼地方都不去了，也不去找他的朋友了。他每天都在仙桃園裡。有一天他看到一些桃子已經能吃了。他非常想吃一個，但他不能那樣做，因為有園工在仙桃園裡，他不想讓他們看到他吃桃子。所以他讓園工先離開仙桃園。祇留他一個人了！他爬上樹，吃了一個桃子。非常好吃，他又吃了一個，然後又是一個，他一直在吃，最後他吃得太飽了。

幾天以後，王母娘娘[6]（就是玉皇大帝的媽媽）決定開一個宴會。她想要在宴會上放一些仙桃。她讓她的七衣仙女 – 紅衣仙女、藍衣仙女、白衣仙女、黑衣仙女、紫衣仙

[6] 王母娘娘 Wángmǔ Niáng Niáng – Queen Mother

nǚ hé lǜ yī xiānnǚ qù zhāi yīxiē xiāntáo. Xiānnǚmen qù le Xiāntáo Yuán, dànshì Xiāntáo Yuán lǐ de tǔdì shén ràng tāmen děngzhe. "Jīnnián gēn qùnián bùtóng," tā shuō, "jīnnián wǒmen yǒu yī gè xīn de dàchén, Qí Tiān Dà Shèng. Wǒ bìxū xiān gàosù tā nǐmen lái le."

"Tā zài nǎ'er?" tāmen wèn.

"Zài Xiāntáo Yuán lǐ. Tā lèi le, zài shuìjiào."

"Wángmǔ Niáng Niáng ràng wǒmen lái zhèlǐ zhāi táozi. Wǒmen bùnéng tài wǎn le, wǒmen xiànzài qù jiàn tā."

女、黄衣仙女和綠衣仙女去摘[7]一些仙桃。仙女們去了仙桃園，但是仙桃園裡的土地神讓她們等著。“今年跟去年不同[8]，”他說，“今年我們有一個新的大臣，齊天大聖。我必須先告訴他你們來了。”

“他在哪兒？”她們問。

“在仙桃園裡。他累了，在睡覺。”

“王母娘娘讓我們來這裡摘桃子。我們不能太晚了，我們現在去見他。”

---

7 摘 zhāi – pick
8 不同 bùtóng – different

Xiānnǚmen hé tǔdì shén zǒu jìn le Xiāntáo Yuán, dàn zhǎobùdào Sūn Wùkōng. Tā chī le hěnduō táozi, tài bǎo le, suǒyǐ tā bǎ zìjǐ biàn chéng èr cùn cháng, zài shù shàng shuìzháo le.

Xiānnǚmen shuō: "Shì Wángmǔ Niáng Niáng ràng wǒmen lái zhāi xiāntáo de. Suǒyǐ dà shèng zài wǒmen yào zhāi, dà shèng bùzài wǒmen yě yào zhāi."

Tāmen kāishǐ zhāi yǐjīng kěyǐ chī de xiāntáo, dànshì zhī néng zhǎodào yīdiǎndiǎn, yīnwèi Sūn Wùkōng chī le hěnduō. Xiānnǚmen kàn dào yī kē shù shàng yǒuyī zhī yǐjīng kěyǐ chī de xiāntáo, Sūn Wùkōng zhènghǎo shuì zài nà kē shù shàng. Dāng lán yī xiānnǚ hé hóng yī xiānnǚ yīqǐ bǎ táozi zhāi xiàlái de shíhòu, shù dòng le, Sūn Wùkōng cóng shù shàng diào le xiàlái. Tā xǐng le, mǎshàng biàn huí dào

仙女們和土地神走進了仙桃園，但找不到孫悟空。他吃了很多桃子，太飽了，所以他把自己變成二寸[9]長，在樹上睡著了。

仙女們說：“是王母娘娘讓我們來摘仙桃的。所以大聖在我們要摘，大聖不在我們也要摘。”

他們開始摘已經可以吃的仙桃，但是祇能找到一點點，因為孫悟空吃了很多。仙女們看到一棵樹上有一隻已經可以吃的仙桃，孫悟空正好睡在那棵樹上。當藍衣仙女和紅衣仙女一起把桃子摘下來的時候，樹動了，孫悟空從樹上掉[10]了下來。他醒了，馬上變迴到

[9] 寸　cùn – Chinese inch
[10] 掉　diào – to fall, to drop

樹動了，孫悟空從樹上掉了下來。

Shù dòng le, Sūn Wùkōng cóng shù shàng diào le xiàlái.

When the branch moved, the Monkey King fell to the ground.

zì jǐ de yàngzi. Tā cóng ěrduǒ lǐ ná chū jīn gū bàng, bǎ tā biàn chéng xiàng wǎn nàme cū.

Tā dà hǎn: "Nǐmen zhèxiē yāoguài, nǐmen cóng nǎlǐ lái, wèishéme yào ná wǒ de táozi?"

Xiānnǚmen fēicháng hàipà, shuō: "Hěn duìbùqǐ, dà shèng! Wǒmen bùshì yāoguài. Wǒmen shì qī yī xiānnǚ, Wángmǔ Niáng Niáng ràng wǒmen lái wèi yànhuì zhāi yīxiē xiāntáo. Wǒmen zhīdào zhè shì nǐ zhàogù de Xiāntáo Yuán, wǒmen zhǎoguò nǐ, dànshì méiyǒu zhǎodào. Qǐng yuánliàng wǒmen!"

Sūn Wùkōng bùzài shēngqì le, tā xiǎngdào le yànhuì jiù xiào le qǐlái. "Xièxiè nǐmen lái qǐng wǒ cānjiā zhège yànhuì!" tā shuō.

自己的樣子[11]。他從耳朵裡拿出金箍棒，把它變成像碗那麼粗。

他大喊："你們這些妖怪，你們從哪裡來，為什麼要拿我的桃子？"

仙女們非常害怕，說："很對不起，大聖！我們不是妖怪。我們是七衣仙女，王母娘娘讓我們來為宴會摘一些仙桃。我們知道這是你照顧的仙桃園，我們找過你，但是沒有找到。請原諒我們！"

孫悟空不再生氣了，他想到了宴會就笑了起來。"謝謝你們來請我參加這個宴會！"他說。

---

[11] 樣子 yàngzi – look like

Xiānnǚmen bù zhīdào Sūn Wùkōng zài jiǎng shénme, tāmen shuō: "Hěn duìbùqǐ, zài cānjiā yànhuì de míngzì zhōng, wǒmen méiyǒu tīng dào nǐ de míngzì, suǒyǐ wǒmen bù zhīdào shì bùshì qǐng le nǐ."

"Méi wèntí," Sūn Wùkōng shuō, "wǒ zhè lǎo hóuzi huì zhīdào shì bùshì qǐng le wǒ. Děng zài zhèlǐ!" Ránhòu tā zài qī yī xiānnǚ shēnshang yòng le mófǎ, xiānnǚmen jiù bùnéng dòng le. Tā yī gè jīndǒu yún qù le yànhuì de dìfāng. Lùshàng, tā yù dào le yī gè piàoliang de niánqīng rén, hé tā xiàng tóng yī gè fāngxiàng zǒu qù. Tā wèn le nàgè rén de míngzì hé tā yào qù de dìfāng.

"Wǒ shì Chìjiǎo Dàxiān," piàoliang de niánqīng rén shuō, "wǒ yào qù nà xiāntáo yànhuì."

仙女們不知道孫悟空在講什麼，她們說：“很對不起，在參加宴會的名字中，我們沒有聽到你的名字，所以我們不知道是不是請了你。”

“沒問題，”孫悟空說，“我這老猴子會知道是不是請了我。等在這裡！”然後他在七衣仙女身上用了魔法[12]，仙女們就不能動了。他一個筋斗雲去了宴會的地方。路上，他遇到了一個漂亮的年輕人，和他向同一個方向[13]走去。他問了那個人的名字和他要去的地方。

“我是赤腳大仙[14]，”漂亮的年輕人說，“我要去那仙桃宴會。”

---

[12] 魔法 　mófǎ – magic
[13] 方向 　fāngxiàng – direction
[14] 赤腳大仙 　Chìjiǎo Dàxiān – Barefoot Immortal (name)

Sūn Wùkōng shuō, “A, nǐ zǒu cuò lù le! Jīnnián de yànhuì shì zài Tōngmíng Gōng. Yùhuáng Dàdì ràng wǒ gàosù dàjiā.”

“Wǒ bù zhīdào!” Chìjiǎo Dàxiān shuō, ránhòu tā xiàng lìng yī gè fāngxiàng zǒu le. Sūn Wùkōng bǎ zìjǐ biàn chéng Chìjiǎo Dàxiān de yàngzi, yī gè jīndǒu yún dào le yànhuì de dìfāng.

Tā shì dì yī gè lái dào yànhuì de kèrén, yǐjīng yǒu jǐ gè gōngrén zài nàlǐ zhǔnbèi chī de dōngxī. Tā kàn le yīxià sìzhōu, kàn dào le yībǎi duō zhǒng bùtóng de hǎo chī de dōngxī. Ránhòu tā wéndào xiāng xiāng de pútáojiǔ. Sūn Wùkōng yòu è yòu kě, tā zhēn de hěn xiǎng chī nàxiē dōngxī, hē diǎn měijiǔ! Dànshì tā bùnéng, yīn wéi qítā de rén huì kàn dào tā. Zěnme bàn ne? Tā

孫悟空說，“啊，你走錯路了！今年的宴會是在通明宮[15]。玉皇大帝讓我告訴大家。”

“我不知道！”赤腳大仙說,然後他向另一個方向走了。孫悟空把自己變成赤腳大仙的樣子，一個筋斗雲到了宴會的地方。

他是第一個來到宴會的客人，已經有幾個工人在那裡準備吃的東西。他看了一下四周，看到了一百多種不同的好吃的東西。然後他聞[16]到香香的葡萄酒。孫悟空又餓又渴，他真的很想吃那些東西，喝點美酒！但是他不能，因為其他的人會看到他。怎麼辦呢？他

15 通明宮 Tōngmíng Gong – Brilliant Palace
16 聞 wén – smell

yòng mófǎ biàn chū yī qún chóngzi. Chóngzǐ fēi le guòqù yǎo le suǒyǒu de rén, zhèxiē rén jiù dōu shuìzháo le.

Xiànzài, Sūn Wùkōng yī gè rén zài nàlǐ duìzhe hào chī de dōngxī hé xiāng xiāng de pútáojiǔ. Tā chī le hěnduō hěnduō, chī dé hěn bǎo hěn bǎo, tā hē le hěnduō jiǔ, hē dé hěn zuì hěn zuì. Ránhòu tā xiǎng: "Huài hóuzi! Huài hóuzi! Rénmen hěn kuài jiù huì dào zhèlǐ, wǒ huì yǒu hěn dà de máfan. Wǒ xiànzài bìxū yào líkāi zhèlǐ!"

Dànshì, duì Sūn Wùkōng lái shuō, qíngkuàng biàn dé gèng huài le. Tā tài zuì le, zhǎo bù dào huí jiā de lù le. Tā fāxiàn zìjǐ bù zài jiā lǐ ér shì zài Tàishàng Lǎojūn zhù de dìfāng.

用魔法變出一群[17]蟲子[18]。蟲子飛了過去咬[19]了所有的人，這些人就都睡著了。

現在，孫悟空一個人在那裡對著好吃的東西和香香的葡萄酒。他吃了很多很多，吃得很飽很飽，他喝了很多酒，喝得很醉[20]很醉。然後他想："壞猴子！壞猴子！人們很快就會到這裡，我會有很大的麻煩。我現在必須要離開這裡！"

但是，對孫悟空來說，情況[21]變得更壞了。他太醉了，找不到迴家的路了。他發現自己不在家里而是在太上老君[22]住的地方。

---

[17] 群 qún – group or cluster
[18] 蟲子 chóngzi – insect(s)
[19] 咬 yǎo – bite, sting
[20] 醉 zuì – drunk
[21] 情況 qíngkuàng – situation
[22] 太上老君 Tàishàng Lǎojūn – Laozi (name)

他吃了很多很多，吃得很飽很飽，
他喝了很多酒，喝得很醉 很醉。

Tā chī le hěnduō hěnduō, chī dé hěn bǎo hěn bǎo, tā hē le hěnduō jiǔ, hē dé hěn zuì hěn zuì.

He ate until he was full, and he drank wine until he was very drunk.

"Hǎo ba," Sūn Wùkōng xiǎng, "suīrán wǒ hěn xiǎng huí jiā, dàn xiànzài wǒ yǐjīng zài zhèlǐ le. Wǒ yīzhí xiǎng jiàn jiàn zhè wèi Lǎojūn. Xiànzài zhènghǎo kěyǐ jiàn jiàn tā le!"

Dànshì Tàishàng Lǎojūn bú zài jiā. Tā chūqù jiǎngkè le. Sūn Wùkōng kàn le suǒyǒu de fángjiān, méiyǒu zhǎodào Tàishàng Lǎojūn. Dànshì tā fāxiàn le wǔ píng chángshēng bù lǎo de jīn dān. Tàishàng Lǎojūn zhǔnbèi zài yànhuì shàng bǎ zhèxiē jīn dān sòng gěi kèrén, ràng tāmen chángshēng bù lǎo.

Nà Sūn Wùkōng yòu zuò le xiē shénme ne? Dāngrán le, tā chī le suǒyǒu de jīn dān! Dàn xiànzài tā zhēn de hěn hàipà, tā xiǎng: "Huài le! Huài le! Wǒ gěi zìjǐ zhǎo le hěn dà de máfan.

“好吧，”孫悟空想，“雖然我很想迴家，但現在我已經在這裡了。我一直想見見這位老君。現在正好可以見見他了！”

但是太上老君不在家。他出去講課了。孫悟空看了所有的房間，沒有找到太上老君。但是他發現了五瓶長生不老的金丹[23]。太上老君準備在宴會上把這些金丹送給客人，讓他們長生不老。

那孫悟空又做了些什麼呢？當然了，他吃了所有的金丹！但現在他真的很害怕，他想：“壞了！壞了！我給自己找了很大的麻煩。

---

[23] 丹　　dān – pill or tablet

Rúguǒ Yùhuáng Dàdì zhīdào le, tā huì shā le wǒ de!" Tā pǎo chū le Tàishàng Lǎojūn de fángzi, yī gè jīndǒu yún huí dào le tā Huāguǒ Shān de jiā.

Huāguǒ Shān de hóuzimen kàn dào tāmen de Dà Wáng dōu hěn gāoxìng. Tāmen shuō: "Dà Wáng, nǐ yǐjīng zǒu le yībǎi duō nián le. Nǐ qù le nǎlǐ, nǐ zuò le shénme?"

Suīrán Sūn Wùkōng zài tiāngōng lǐ zhǐyǒu jǐ gè yuè, dànshì tiānshàng de yītiān jiùshì dìshàng de yī nián.

Tā shuō: "Wǒ hěn gāoxìng de gàosù nǐmen, Yùhuáng Dàdì gěi le wǒ Qí Tiān Dà Shèng de gōngzuò, zhè shì yī fèn hěn hǎo de gōngzuò, zhàogù Xiāntáo Yuán. Wǒ yīkāishǐ chī le yī gè táozi, fāxiàn tā hěn hào chī, suǒyǐ wǒ yòu chī le hěnduō hěnduō. Ránhòu wǒ yòu qù le yī gè yànhuì, suīrán tāmen méiyǒu qǐng wǒ qù. Zài yànhuì shàng wǒ chī le hěnduō dōngxī, hē le hěnduō jiǔ. Wǒ hē zuì le, fāxiàn zìjǐ zài Tàishàng Lǎojūn de fángzi

如果玉皇大帝知道了，他會殺了我的！”

他跑出了太上老君的房子，一個筋斗雲迴到了他花果山的家。

花果山的猴子們看到他們的大王都很高興。他們說：“大王，你已經走了一百多年了。你去了哪裡，你做了什麼？”

雖然孫悟空在天宮裡衹有幾個月，但是天上的一天就是地上的一年。

他說：“我很高興地告訴你們，玉皇大帝給了我齊天大聖的工作，這是一個很好的工作，照顧仙桃園。我一開始吃了一個桃子，發現它很好吃，所以我又吃了很多很多。然後我又去了一個宴會，雖然他們沒有請我去。在宴會上我吃了很多東西，喝了很多酒。我喝醉了，發現自己在太上老君的房子

lǐ, zài nàlǐ wǒ chī le wǔ píng tā de jīn dān. Wǒ hàipà Yùhuáng Dàdì huì tīng dào zhèxiē shì, suǒyǐ wǒ hěn kuài jiù huí jiā lái le."

Hóuzimen hěn ài tāmen de Dà Wáng, suǒyǐ tāmen wèi tā zhǔnbèi le yī gè yànhuì, hái gěi le tā yī bēi tāmen zìjǐ zuò de jiǔ. Sūn Wùkōng hē le yīkǒu, dànshì mǎshàng tǔ le chūlái. "Zhè jiǔ tài nán hē le!" tā shuō.

Hóuzimen shuō: "Dà Wáng yīzhí zài tiāngōng lǐ chīfàn hējiǔ. Wǒmen zhèlǐ chī de hē de dàngrán méiyǒu tiāngōng lǐ de dōngxī hǎo!"

"Méi wèntí," Sūn Wùkōng shuō, "wǒ huì gěi nǐmen dài huí yīxiē hào jiǔ de!" Ránhòu tā tiào le qǐlái, yī gè jīndǒu yún huí dào le tiāngōng. Tā qù le yànhuì de dìfāng, ná le sì píng Yùhuáng Dàdì zuì hǎo de jiǔ dài huí le Huāguǒ Shān, hé tā de péngyǒumen yīqǐ hē le jiǔ.

裡，在那裡我吃了五瓶他的金丹。我害怕玉皇大帝會聽到這些事，所以我很快就迴家來了。”

猴子們很愛他們的大王，所以他們為他準備了一個宴會，還給了他一杯他們自己做的酒。孫悟空喝了一口，但是馬上吐了出來。“這酒太難喝了！”他說。

猴子們說:“大王一直在天宮裡吃飯喝酒。我們這裡吃的喝的當然沒有天宮裡的東西好！”

“沒問題，”孫悟空說，“我會給你們帶迴一些好酒的！”然後他跳了起來，一個筋斗雲迴到了天宮。他去了宴會的地方，拿了四瓶玉皇大帝最好的酒帶迴了花果山，和他的朋友們一起喝了酒。

Nǐ hái jìdé nà qī gè xiānnǚ ma? Tāmen háishì zài tóng yī gè dìfāng! Sūn Wùkōng de mófǎ ràng tāmen yī diǎn dōu bùnéng dòng, suǒyǐ tāmen yītiān dōu zhàn zài Xiāntáo Yuán lǐ de yī kē shù xià, yào děngdào mófǎ jiéshù le, tāmen cái kěyǐ zàicì zǒudòng.

Dànshì duì Sūn Wùkōng lái shuō, shìqíng biàn dé hěn bù hǎo. Xiānshi xiānnǚmen gàosù Wángmǔ Niáng Niáng, Sūn Wùkōng chī le hěnduō xiāntáo, yòng mófǎ ràng tāmen zài huāyuán lǐ bùnéng dòng. Wángmǔ Niáng Niáng qù le tā de érzi Yùhuáng Dàdì nàlǐ, gàosù tā zhège shìqíng.

Wángmǔ Niáng Niáng hái méiyǒu shuō wán, zhǔnbèi yànhuì de yīxiē gōngrén lái le, gàosù Yùhuáng Dàdì yǒurén chī le yànhuì shàng suǒyǒu de dōngxī, hē le suǒyǒu de jiǔ. Tàishàng Lǎojūn yě lái jiàn Yùhuáng Dàdì, gàosù tā yǒurén jìn le tā de jiā, chī le tā suǒyǒu de jīn dān. Zuìhòu, Chìjiǎo Dàxiān lái le, gàosù Yùhuáng Dàdì yǒurén ràng tā qù le cuò de yànhuì dìfāng!

你還記得那七個仙女嗎？她們還是在同一個地方！孫悟空的魔法讓她們一點都不能動，所以她們一天都站在仙桃園裡的一棵樹下，要等到魔法結束了，她們才可以再次走動。

但是對孫悟空來說，事情變得很不好。先是仙女們告訴王母娘娘，孫悟空吃了很多仙桃，用魔法讓她們在花園裡不能動。王母娘娘去了她的兒子玉皇大帝那裡，告訴他這個事情。

王母娘娘還沒有說完，準備宴會的一些工人來了，告訴玉皇大帝有人吃了宴會上所有的東西、喝了所有的酒。太上老君也來見玉皇大帝，告訴他有人進了他的家，吃了他所有的金丹。最後，赤腳大仙來了，告訴玉皇大帝有人讓他去了錯的宴會地方！

Zhèxiē shìqíng duì Yùhuáng Dàdì lái shuō tài duō le. Tā hěn shēngqì, tā jiào lái le hěnduō shénxiān. Tā men zhōngjiān yǒu Dōngxī Erxīng, Nánběi Er Shén, Wǔshān Shénxiān, Sìjiāng Lóng Shén, tiāngōng zhòng shén, yīgòng shí wàn jūnduì. Yùhuáng Dàdì yào dàjiā qù Huāguǒ Shān zhuā Sūn Wùkōng.

Jūnduì zài Huāguǒ Shān shàng rēng xià yī dà zhāng wǎng yào bǎ Sūn Wùkōng bāo zài lǐmiàn. Ránhòu tāmen dōu zài Shuǐlián Dòng wàimiàn děngzhe.

Zài Shuǐlián Dòng lǐ, Sūn Wùkōng xiàng méiyǒu shì yīyàng hēzhe Yùhuáng Dàdì de jiǔ, hé péngyǒumen shuōzhe huà. Yīxiē hóuzi hěn hàipà, pǎo le jìnlái, gàosù Sūn Wùkōng dòng wài de jūnduì. Dàn Sūn Wùkōng yīdiǎn yě bù dānxīn. "Nǐmen zhīdào zhège lǎohuà

這些事情對玉皇大帝來說太多了。他很生氣，他叫來了很多神仙。他們中間有東西二星，南北二神，五山神仙，四江龍神，天宮眾[24]神，一共十萬軍隊[25]。玉皇大帝要大家去花果山抓孫悟空。

軍隊在花果山上扔[26]下一大張網[27]要把孫悟空包在裡面。然後他們都在水簾洞外面等著。

在水簾洞裡，孫悟空像沒有事一樣喝著玉皇大帝的酒，和朋友們說著話。一些猴子很害怕，跑了進來，告訴孫悟空洞外的軍隊。但孫悟空一點也不擔心。“你們知道這個老話

---

[24] 眾 zhòng – (measure word)
[25] 軍隊 jūnduì – army
[26] 扔 rēng – to throw
[27] 網 wǎng – net, network

ma: jīntiān yǒu jiǔ jīntiān hē, bié dānxīn wàimiàn de máfan!"

Dàn mén wàimiàn de máfan hái zài. Shénxiānmen huǐhuài le shāndòng de mén. Yī gè shénxiān hǎn dào: "Nǐ zhège huài hóuzi! Nǐ chī le xiāntáo. Ránhòu nǐ yòu chī le xiāntáo huì shàng de shíwù, hē le pútáojiǔ. Nǐ hái chī le Tàishàng Lǎojūn de jīn dān. Wèi le nǐ zìjǐ de kuàilè nǐ hái ná zǒu le Yùhuáng Dàdì de pútáojiǔ."

"A, zhèxiē dōu shì zhēn de," Sūn Wùkōng xiào le qǐlái. "Dànshì nǐmen xiǎng yào zuò shénme ne?"

"Shì Yùhuáng Dàdì ràng wǒmen lái zhèlǐ zhuā nǐ. Gēn wǒmen zǒu, rúguǒ nǐ bù zǒu wǒmen huì shā sǐ zhèlǐ suǒyǒu de hóuzi, huǐhuài nǐ de jiā."

嗎：今天有酒今天喝，別擔心外面的麻煩！”

但門外面的麻煩還在。神仙們毀壞[28]了山洞的門。一個神仙喊道：“你這個壞猴子！你吃了仙桃。然後你又吃了仙桃會上的食物，喝了葡萄酒。你還吃了太上老君的金丹。為了你自己的快樂你還拿走了玉皇大帝的葡萄酒。”

“啊，這些都是真的，”孫悟空笑了起來。“但是你們想要做什麼呢？”

“是玉皇大帝讓我們來這裡抓你。跟我們走，如果你不走我們會殺死這裡所有的猴子，毀壞你的家。”

---

[28] 毀壞　　huǐhuài – to smash, to destroy

Sūn Wùkōng hé shénxiānmen duì mà le yīhuǐ'er, ránhòu kāishǐ le zhàndòu. Tāmen dǎ le hěn cháng shíjiān, dāngrán wǒ bù huì gàosù nǐ tāmen zhàndòu zhōng de suǒyǒu shìqíng. Zhàndòu cóng tàiyáng chū lái kāishǐ yīzhí dǎ dào tàiyáng xiàshān. Yèlǐ dàjiā dōu qù xiūxí zhǔnbèi dì èr tiān zài dǎ. Dì èr tiān tāmen yòu kāishǐ dǎle qǐlái, dàn nàxiē shénxiān hé jūnduì lǐ de rén háishì bùnéng dǎbài Sūn Wùkōng.

Yùhuáng Dàdì bù zhīdào yīnggāi zěnme bàn. Zài zhàndòu zhōng, yī wèi kèrén lái jiàn tā. Shì nánhǎi de Guānyīn púsà. Tā shuō: “Yùhuáng Dàdì, wǒ zhīdào yǒurén kěyǐ dǎbài zhè zhī kěpà de hóuzi. Nà jiùshì nǐ de zhízi Erláng shén, tā shì hěn néng dǎ de rén. Tā niánqīng de shíhòu shā le liù gè yāo

孫悟空和神仙們對罵[29]了一會兒，然後開始了戰鬥。他們打了很長時間，當然我不會告訴你他們戰鬥中的所有事情。戰鬥從太陽出來開始一直打到太陽下山。夜裡[30]大家都去休息準備第二天再打。第二天他們又開始打了起來，但那些神仙和軍隊裡的人還是不能打敗[31]孫悟空。

玉皇大帝不知道應該怎麼辦。在戰鬥中，一位客人來見他。是南海的觀音[32]菩薩[33]。她說："玉皇大帝，我知道有人可以打敗這隻可怕的猴子。那就是你的侄子[34]二郎[35]神，他是很能打的人。他年輕的時候殺了六個妖

---

29 对罵 duì mà – to scold each other
30 夜裡 yèlǐ – at night
31 打敗 dǎbài – to defeat
32 觀音 Guānyīn – Guanyin (name)
33 菩薩 púsà – bodhisattva, buddha
34 侄子 zhízi – nephew
35 二郎 Èrláng – Erlang (name)

guài. Suīrán tā xiànzài yǐjīng bù tài cānjiā zhàndòu le, dàn kěnéng tā huì bāngzhù nǐ de."

Yùhuáng Dàdì gěi Erláng shén xiě le yī fēng xìn, yāoqiú tā bāngmáng. Erláng shén tóngyì le, tā hé tā de liù gè xiōngdì hái yǒu yī zhī jūnduì yīqǐ qù le Huāguǒ Shān. Tāmen dǎkāi yī zhāng dà wǎng, ràng xīn lái de rén dōu dào wǎng lǐmiàn qù.

Lái dào le Shuǐlián Dòng yǐhòu, Erláng shén xiàng Sūn Wùkōng hǎn màzhe, tāmen liǎng gè rén duì mà le hěn cháng shíjiān. Ránhòu dǎ le qǐlái. Sūn Wùkōng hái dǎ le qítā de shénxiān, dànshì Erláng shén tài lìhài le. Sūn Wùkōng dǎ a dǎ a, tā tài lèi le, tā bùnéng dǎbài Erláng shén hé nàxiē shénxiān. Suǒyǐ tā biàn chéng le yī zhī xiǎo niǎo fēi zǒu le.

怪。雖然他現在已經不太參加戰鬥了，但可能他會幫助你的。”

玉皇大帝給二郎神寫了一封信，要求他幫忙。二郎神同意了，他和他的六個兄弟還有一支軍隊一起去了花果山。他們打開一張大網，讓新來的人都到網裡面去。

來到了水簾洞以後，二郎神向孫悟空喊罵著，他們兩個人對罵了很長時間。然後打了起來。孫悟空還打了其他的神仙，但是二郎神太厲害[36]了。孫悟空打啊打啊，他太累了，他不能打敗二郎神和那些神仙。所以他變成了一隻小鳥飛走了。

---

[36] 厲害　　lìhài – powerful

Erláng shén kànjiàn Sūn Wùkōng biàn chéng yī zhī xiǎo niǎo fēi zǒu le, suǒyǐ tā yě hěn kuài biàn chéng le yī zhī yīng, gēnzhe xiǎo niǎo. Sūn Wùkōng kàn dào le Erláng shén biàn de yīng, tā jiù mǎshàng yòu biàn chéng le yītiáo xiǎo yú, tiào jìn le hé lǐ. Erláng shén xiǎng, "tā qù nǎ'er le?" Tā fēi dào héshàng kànjiàn le xiǎo yú, mǎshàng jiù tiào jìn shuǐ lǐ xiǎng qù zhuā xiǎo yú. Sūn Wùkōng hěn kuài yòu chéng chéngle shuǐ shé, yóuguò shuǐ jìnrù gāo gāo de cǎodì. Erláng shén kànjiàn le, tā hěn kuài biàn chéng yī zhī hè, jìnrù cǎodì qù zhuā shuǐshé.

Sūn Wùkōng kàn dào hòu mǎshàng yòu biàn chéng le yī zhī dà niǎo, dànshì tā zhīdào Erláng shén háishì huì zhuā zhù tā de. Suǒyǐ tā fēi xià shān, biàn chéng le yī zuò xiǎo miào. Tā de zuǐ shì mén. Tā de

二郎神看見孫悟空變成一隻小鳥飛走了，所以他也很快變成了一隻鷹[37]，跟著小鳥。孫悟空看到了二郎神變的鷹，他就馬上又變成了一條小魚，跳進了河裡。二郎神想，“他去哪兒了？”他飛到河上看見了小魚，馬上就跳進水里想去抓小魚。孫悟空很快又變成了水蛇[38]，游過水進入[39]高高的草地。二郎神看見了，他很快變成一隻鶴[40]，進入草地去抓水蛇。

孫悟空看到後馬上又變成了一隻大鳥，但是他知道二郎神還是會抓住他的。所以他飛下山，變成了一座小廟[41]。他的嘴是門。他的

---

[37] 鷹 yīng – hawk
[38] 蛇 shé – snake
[39] 進入 jìnrù – to enter
[40] 鶴 hè – crane
[41] 廟 miào – temple

yǎnjīng shì chuāng. Dànshì tā de wěibā zěnme bàn ne? Tā de wěibā lì zài kōngzhōng biàn chéng le qígān.

Erláng shén biàn huí dào rén zǒuxiàng le xiǎo miào. "Hěn qíguài," tā shuō, "wǒ kàndàoguò hěnduō miào, dàn wǒ cónglái méiyǒu kàndàoguò yǒu qígān de miào. Yīdìng shì nàgè huài hóu zǐ Sūn Wùkōng biàn de! Rúguǒ wǒ jìn le miào, tā huì bǎ wǒ chī le. Suǒyǐ wǒ yào zài wàimiàn huǐhuài zhè zuò miào!"

Dànshì jiù zài tā xiǎng yào huǐhuài miào de shíhòu, xiǎo miào bùjiàn le, Erláng shén kànjiàn Sūn Wùkōng zhàn zài jǐ lǐ yuǎn de dìfāng. Tāmen zài yīcì miàn duì miàn dǎ le qǐlái. Erláng shén de liù gè xiōngdì yě lái bāngzhù tā.

眼睛是窗[42]。但是他的尾巴[43]怎麼辦呢？他的尾巴立[44]在空中變成了旗桿[45]。

二郎神變迴到人走向了小廟。“很奇怪，”他說，“我看到過很多廟，但我從來沒有看到過有旗桿的廟。一定是那個壞猴子孫悟空變的！如果我進了廟，他會把我吃了。所以我要在外面毀壞這座廟！”

但是就在他想要毀壞廟的時候，小廟不見了，二郎神看見孫悟空站在幾里遠的地方。他們再一次面對面打了起來。二郎神的六個兄弟也來幫助他。

---

[42] 窗 chuāng – window
[43] 尾巴 wěibā – tail
[44] 立 lì – to stand
[45] 旗桿 qígān – flagpole

"很奇怪，" 他說，"我看到過很多廟，但我從來沒有看到過有旗桿的廟。"

"Hěn qíguài," tā shuō, "wǒ kàndàoguò hěnduō miào, dàn wǒ cónglái méiyǒu kàn dàoguò yǒu qígān de miào."

"Very strange," he said, "I have seen many temples, but I have never seen one with a flagpole."

Dāng tāmen zài zhàndòu de shíhòu, Guānyīn púsà hé Tàishàng Lǎojūn dōu zài tiāngōng lǐ xiàng xià kànzhe zhàndòu. Tāmen dōu xiǎng qù bāngzhù Erláng shén. Tàishàng Lǎojūn shuō: "Wǒ yǒu yī gè gāng zuò de wǔqì jiào Jīngāng Tào. Tā yǒu hěn dà de mólì, bù pà huǒ yě bù pà shuǐ. Ràng wǒmen shì shì zhège Jīngāng Tào ba!"

Tàishàng Lǎojūn bǎ Jīngāng Tào xiàng Sūn Wùkōng de shēnshang rēng qù, zhènghǎo tào zài le Sūn Wùkōng de tóu shàng. Sūn Wùkōng dǎo xià le, qī gè xiōngdì yòng shéngzi bǎ Sūn Wùkōng kǔn le qǐlái. Tāmen bǎ dāo chā jìn Sūn Wùkōng de xiōng, tā jiù bùnéng zài yòng mófǎ le. Ránhòu tiāngōng lǐ de shìwèi bǎ Sūn Wùkōng dài huí tiāngōng, dǎsuàn zài nàlǐ shā le tā.

當他們在戰鬥的時候，觀音菩薩和太上老君都在天宮裡向下看著戰鬥。他們都想去幫助二郎神。太上老君說：“我有一個鋼[46]做的武器叫金鋼套[47]。它有很大的魔力[48]，不怕火也不怕水。讓我們試試這個金鋼套吧！”

太上老君把金鋼套向孫悟空的身上扔去，正好套在了孫悟空的頭上。孫悟空倒[49]下了，七個兄弟用繩子[50]把孫悟空捆[51]了起來。他們把刀插[52]進孫悟空的胸[53]，他就不能再用魔法了。然後天宮裡的侍衛[54]把孫悟空帶迴天宮，打算在那裡殺了他。

---

46 鋼 gāng – steel
47 套 tào – armlet
48 魔力 mólì – magic
49 倒 dǎo – to fall
50 繩子 shéngzi – rope
51 捆 kǔn – to tie up
52 插 chā – to insert
53 胸 xiōng – chest
54 侍衛 shìwèi – guard

Dàn shā sǐ Sūn Wùkōng shì fēicháng nán de! Tā xuéxíguò chángshēng bùsǐ de fāngfǎ, xiànzài tā kěyǐ chángshēng bùsǐ le. Tā hái chī le xǔduō xiāntáo hé Tàishàng Lǎojūn de jīn dān, suǒyǐ tā de shēntǐ bù huì shòushāng. Shìwèimen yòng le hěnduō wǔqì, dàn tāmen háishì bùnéng shāng dào tā. Huǒ bùnéng, léidiàn yě bùnéng shāng dào tā. Méiyǒu rén zhīdào yīnggāi zěnme bàn.

Zuìhòu, Tàishàng Lǎojūn chūlái shuō: "Zhè zhī hóuzi chī le xiāntáo, hē le Yùhuáng Dàdì de jiǔ, nále wǒ de jīn dān. Suǒyǒu zhèxiē dōngxī dōu jìn le tā de dùzi, gěi le tā yī gè xiàng zuànshí yīyàng de shēntǐ. Zhè jiùshì wèishéme hěn nán shāng dào tā. Dànshì, wǒmen kěyǐ bǎ tā fàng zài huǒpén lǐ,

但殺死孫悟空是非常難的！他學習過長生不死的方法，現在他可以長生不死了。他還吃了許多[55]仙桃和太上老君的金丹，所以他的身體不會受傷[56]。侍衛們用了很多武器，但他們還是不能傷到他。火不能、雷電也不能傷到他。沒有人知道應該怎麼辦。

最後，太上老君出來說："這隻猴子吃了仙桃，喝了玉皇大帝的酒，拿了我的金丹。所有這些東西都進了他的肚子[57]，給了他一個像鑽石[58]一樣的身體。這就是為什麼很難傷到他。但是，我們可以把他放在火盆[59]裡，

---

55 許多 xǔduō – many
56 受傷 shòushāng – injured
57 肚子 dùzi – belly
58 鑽石 zuànshí – diamond
59 火盆 huǒpén – brazier

màn man de kǎo sìshíjiǔ tiān. Zhèyàng tā de shēntǐ jiù bú huì xiàng zuànshí nàyàng le, tā jiù huì sǐqù."

Shìwèimen bǎ dāo cóng Sūn Wùkōng de xiōng qián ná xià, bǎ shéngzi cóng tā de shēnshang ná kāi, bǎ tā rēng jìn huǒpén lǐ. Tàishàng Lǎojūn chuī qǐ dàfēng, huǒ mǎshàng jiù biàn dé fēicháng dà fēicháng rè.

Sìshíjiǔ tiān hòu, Tàishàng Lǎojūn dǎkāi huǒpén de mén, tā rènwéi Sūn Wùkōng yǐjīng sǐ le. Dànshì Sūn Wùkōng méiyǒu sǐ! Sūn Wùkōng tiàochū le huǒpén, xiàng lǎohǔ yīyàng shēngqì. Tā yòng jīn gū bàng dǎ měigèrén, tā dǎ huài le mén hé qítā de dōngxī, tā hé zǒu jìn tā de měigèrén zhàndòu. Tiāngōng lǐ de shénxiānmen dōu hàipà le, tāmen zhǐ néng zuò yī jiàn shì: qǐng Rúlái fó xiàlái zhuā zhè zhī wéixiǎn de hóuzi.

慢慢地烤[60]四十九天。這樣他的身體就不會像鑽石那樣了，他就會死去。”

侍衛們把刀從孫悟空的胸前拿下，把繩子從他的身上拿開，把他扔進火盆裡。太上老君吹起大風，火馬上就變得非常大非常熱。

四十九天后，太上老君打開火盆的門，他認為孫悟空已經死了。但是孫悟空沒有死！孫悟空跳出了火盆，像老虎[61]一樣生氣。他用金箍棒打每個人，他打壞了門和其他的東西，他和走近他的每個人戰鬥。天宮裡的神仙們都害怕了，他們衹能做一件事：請如來[62]佛[63]下來抓這衹危險的猴子。

---

60 烤 kǎo – to bake
61 老虎 lǎohǔ – tiger
62 如來 Rúlái – Buddha (name)
63 佛 fó, fú – buddha (title)

孫悟空跳出了火盆，
像老虎 一樣生氣。

Sūn Wùkōng tiàochū le huǒpén,
xiàng lǎohǔ yīyàng shēngqì.

Sun Wukong jumped out of the brazier,
angry as a tiger.

Rúlái fó lái le, dàizhe tā de liǎng gè xuéshēng. Tāmen tīng dào hěn dà de shēngyīn hé dǎ huài dōngxī de shēngyīn. Tā jǔ qǐ shǒu lái, ràng dàjiā búyào dǎ le. Tā duì Sūn Wùkōng shuō: "Lái, hóuzi, gàosù wǒ nǐ de gùshì. Nǐ shénme shíhòu chūshēng de? Nǐ shì zěnme xuéxí de? Wèishéme nǐ hěn shēngqì?"

Sūn Wùkōng jiǎng le tā de chūshēng, cóng Huāguǒ Shān de xiǎo shí hóuzi dào xiànzài de qíngkuàng. Tā shuō: "Xiànzài, tiānxià duì wǒ lái shuō tài xiǎo le. Wǒ xiǎng chéngwéi tiāngōng lǐ de huángdì!"

Rúlái fó xiào le. "Tiāngōng lǐ de huángdì? Nǐ zhǐshì yī gè xuéxí le yī diǎndiǎn dōngxī de hóuzi! Nǐ bù kěnéng zuò huángdì de. Kàn kàn Yùhuáng Dàdì. Tā zài hěn xiǎo de shíhòu jiù kāishǐ xuéxí. Tā xué le 1750 gè jìyuán, měi gè jìyuán shì

如來佛來了，帶著他的兩個學生。他們聽到很大的聲音和打壞東西的聲音。他舉[64]起手來，讓大家不要打了。他對孫悟空說："來，猴子，告訴我你的故事。你什麼時候出生的？你是怎麼學習的？為什麼你很生氣？"

孫悟空講了他的出生，從花果山的小石猴子到現在的情況。他說："現在，天下對我來說太小了。我想成為天宮裡的皇帝[65]！"

如來佛笑了。"天宮裡的皇帝？你衹是一個學習了一點點東西的猴子！你不可能做皇帝的。看看玉皇大帝。他在很小的時候就開始學習。他學了 1750 個纪元[66]，每個紀元是

---

64 舉　　jǔ – to lift
65 皇帝　　huángdì – emperor
66 纪元　　jìyuán – era, epoch

120,600 nián. Nǐ zìjǐ xiǎng xiǎng tā yǐjīng xuéxí le duō shào nián le. Hé tā bǐ, nǐ zhǐshì yī gè kàn qǐlái xiàng rén de xiǎo dòngwù. Bù yào hé wǒ zhèyàng shuōhuà le!"

Sūn Wùkōng huídá shuō: "Suīrán Yùhuáng Dàdì xuéxí le hěn cháng shíjiān, tā yě bù yìnggāi yīzhí zài tiāngōng lǐ. Méiyǒurén yīnggāi yīzhí zuò huángdì. Gàosù tā xiànzài jiù bǎ huángdì de bǎozuò gěi wǒ."

Rúlái fó xiàozhe shuō: "Wǒmen dǎ dǔ ba. Nǐ zhàn zài wǒ yòushǒu shàng. Yòng nǐ de jīndǒu yún cóng wǒ de shǒuzhōng líkāi. Rúguǒ nǐ néng líkāi wǒ de shǒu, nǐ jiù yíng le, wǒ huì ràng Yùhuáng Dàdì bǎ huángdì bǎozuò gěi nǐ. Dànshì, rúguǒ nǐ bùnéng líkāi, nǐ jiù yào huí dào Huāguǒ Shān, zài jǐ gè jìyuán lǐ bùnéng líkāi nàlǐ. Zhèyàng nǐ kěnéng huì xué dào yīxiē dōngxī!"

120,600 年。你自己想想他已經學習了多少年了。和他比，你衹是一個看起來像人的小動物。不要和我這樣說話了！”

孫悟空衹答說：“雖然玉皇大帝學習了很長時間，他也不應該一直在天宮裡。沒有人應該一直做皇帝。告訴他現在就把皇帝的寶座給我。”

如來佛笑著說：“我們打賭[67]吧。你站在我右手上。用你的筋斗雲從我的手中離開。如果你能離開我的手，你就赢了，我會讓玉皇大帝把皇帝寶座給你。但是，如果你不能離開，你就要衹到花果山，在幾個紀元里不能離開那裡。這樣你可能會學到一些東西！”

---

[67] 賭 dǔ – bet

Sūn Wùkōng xiǎng: “Zhège rén hěn bèn! Wǒ yòng yī gè jīndǒu yún kěyǐ zǒu shí wàn lǐ, dàn tā de shǒu yī chǐ cháng dōu méiyǒu. Cóng tā de shǒuzhōng líkāi hěn róngyì!”

Tā duì Rúlái fó shuō: “Rúguǒ wǒ yíng le, nǐ zhēn de huì ràng Yùhuáng Dàdì bǎ huángdì bǎozuò gěi wǒ ma?”

Rúlái fó dītóu kànzhe Sūn Wùkōng, shuō: “Shì de.”

Sūn Wùkōng tiào shàng le Rúlái fó de yòushǒu, xiǎng yào yòng tā de jīndǒu yún fēi zǒu. Rúlái fó kànzhe tā fēi, xiào le qǐlái. Sūn Wùkōng fēi le hěn cháng shíjiān, lái dào le wǔ gè fěnhóngsè dàshān qián miàn. Tā xiǎng, “Hǎole, wǒ búyòng zài zǒu le. Xiànzài wǒ kěyǐ qù jiàn nàgè hěn bèn de rén, gàosù tā wǒ yíngle, wǒ jiù yào chéngwéi xīn huángdì le. Dànshì wǒ bìxū yào zài zhèlǐ liú xià yīxiē dōngxī.”

孫悟空想："這個人很笨！我用一個筋斗雲可以走十萬里，但他的手一尺長都沒有。從他的手中離開很容易！"

他對如來佛說："如果我贏了，你真的會讓玉皇大帝把皇帝寶座給我嗎？"

如來佛低頭看著孫悟空，說："是的。"

孫悟空跳上了如來佛的右手，想要用他的筋斗雲飛走。如來佛看著他飛，笑了起來。孫悟空飛了很長時間，來到了五個粉紅色[68]大山前面。他想，"好了，我不用再走了。現在我可以去見那個很笨的人，告訴他我贏了，我就要成為新皇帝了。但是我必須要在這裡留下一些東西。"

---

[68] 粉紅色　fěnhóngsè – pink

Tā yòng mófǎ biàn le yī zhī máobǐ hé yīxiē mò, zài yī zuò shānshàng xiě dào: "Qí Tiān Dà Shèng láiguò zhèlǐ." Tā yòu zài shān jiǎoxià liú le yī pào niào. Huài hóuzi!

Sūn Wùkōng zhuǎnshēn, yòng jīndǒu yún huí dào Rúlái fó nàlǐ, shuō: "Nǐ shū le! Wǒ líkāi le nǐ de shǒu, fēi dé hěn yuǎn. Wǒ dào le wǔ gè fěnhóng sè dàshān de dìfāng, xiě le wǒ de míngzì. Nǐ qù nàlǐ kàn kàn ba!"

"Wǒ bùyòng qù," Rúlái fó shuō, "nǐ kàn kàn wǒ de shǒu, zàilái wén wén wǒ de shǒu!" Rúlái fó de shǒuzhǐ shàng xiězhe yī háng xiǎozì: "Qí Tiān Dà Shèng láiguò zhèlǐ", hái yǒu hóuzi de niào. Sūn Wùkōng zhè cái zhīdào tā méiyǒu líkāi Rúlái fó de yòushǒu.

他用魔法變了一支毛筆和一些墨，在一座山上寫道："齊天大聖來過這裡。"他又在山腳下留了一泡尿[69]。壞猴子！

孫悟空轉身，用筋斗雲迴到如來佛那裡，說："你輸了！我離開了你的手，飛得很遠。我到了五個粉紅色大山的地方，寫了我的名字。你去那裡看看吧！"

"我不用去，"如來佛說，"你看看我的手，再來聞聞我的手！"如來佛的手指[70]上寫著一行[71]小字："齊天大聖來過這裡"，還有猴子的尿。孫悟空這才知道他沒有離開如來佛的右手。

---

[69] 泡尿　　pào niào – puddle of urine
[70] 手指　　shǒuzhǐ – finger
[71] 行　　háng – row or line

Sūn Wùkōng fēicháng shēngqì. Tā xiǎng: "Wǒ bù xiāngxìn! Wǒ bù xiāngxìn! Wǒ yào zài qù nàlǐ yīcì!"

Sūn Wùkōng xiǎng zài yīcì fēi dào nàlǐ, dànshì Rúlái fó de shǒu hěn kuài xiàng xià zhuā, wǔ gè shǒuzhǐ biàn chéng le wǔ zuò shān bǎ Sūn Wùkōng bāo zài lǐmiàn bùnéng líkāi.

Tiānshàng de shénxiānmen dōu gǎndào hěn gāoxìng, tāmen dú le zhè shǒu shī:

"Chūshēng shí tā shì yī zhī hóuzi, dàn xuéxí chéngwéi le rén.
Tā xué le cháng shēng bùsǐ de fāngfǎ, huó dé xiàng yī gè guówáng.
Tā xiǎng yào de tài duō, zài tiāngōng lǐ zhǎo le xǔduō máfan.
Tā chī le bù yìnggāi chī de shíwù, jiǔ hé yào, tā mà le shénxiān.
Shúi zhīdào tā huì zài wǔzhǐshān xià zhù duō cháng shíjiān?"

孫悟空非常生氣。他想："我不相信！我不相信！我要再去那裡一次！"

孫悟空想再一次飛到那裡，但是如來佛的手很快向下抓，五個手指變成了五座山把孫悟空包在裡面不能離開。

天上的神仙們都感到很高興，他們讀了這首詩：

"出生時他是一隻猴子，但學習成為了人。

他學了長生不死的方法，活得像一個國王。

他想要的太多，在天宮裡找了許多麻煩。

他吃了不應該吃的食物，酒和藥[72]，他罵了神仙。

誰知道他會在五指山下住多長時間？"

[72] 藥 yào – medicine

五個手指變成了五座山把孫悟空包在裡面不能離開。

Wǔ gè shǒuzhǐ biàn chéng le wǔ zuò shān bǎ Sūn Wùkōng bāo zài lǐmiàn bùnéng líkāi.

His five fingers became five mountains that surrounded Sun Wukong so he could not leave.

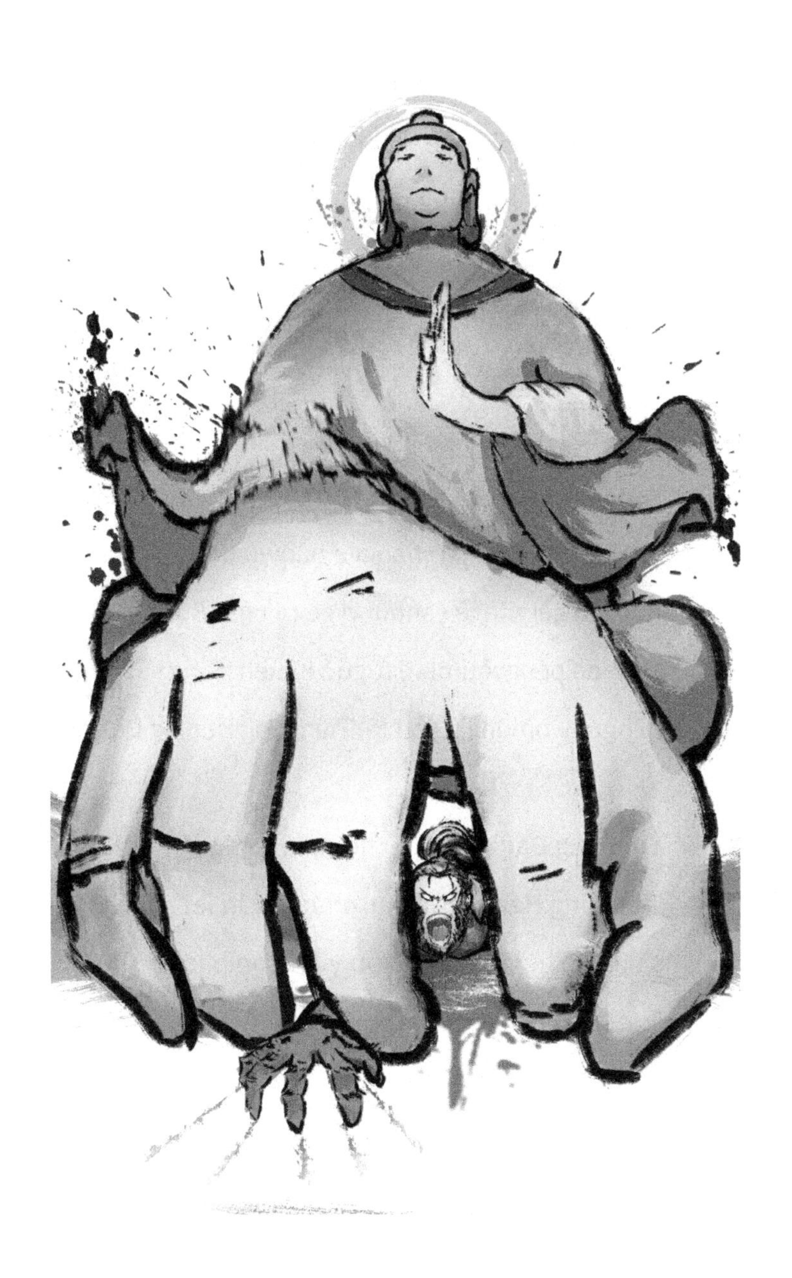

Rúlái fó zhǔnbèi líkāi le, jiù zài nàgè shíhòu, Yùhuáng Dàdì lái le, duì Rúlái fó shuō: "Xièxiè nín dǎbài le nà zhī kěpà de hóuzi. Qǐng nín zài wǒmen zhèlǐ zài zhù yītiān. Wǒmen xiǎng gěi nín kāi yī gè měihǎo de yànhuì!"

Rúlái fó liú le xiàlái, cānjiā le tiāngōng lǐ de yànhuì. Yànhuì zhōng yǒu xǔduō hào chī de dōngxī, háiyǒu yīxiē xiāntáo. Dàjiā chànggē tiàowǔ dú shī. Kèrén ràng Rúlái fó gěi zhège yànhuì yī gè míngzì. Rúlái fó shuō: "Wǒ de péngyǒumen, rúguǒ nǐmen xiǎng yào yī gè míngzì, wǒmen jiù jiào tā 'Tiāngōng Hépíng Dà Yàn'."

Yùhuáng Dàdì, Rúlái fó hé suǒyǒu de kèrén zài Tiāngōng Hépíng Dà Yàn shàng wán le hěn cháng shíjiān. Zhège shíhòu yǒu yī gè rén pǎo lái shuō: "Hóuzi xiǎng yào líkāi chù qù!"

如來佛準備離開了，就在那個時候，玉皇大帝來了，對如來佛說：“謝謝您打敗了那隻可怕的猴子。請您在我們這裡再住一天。我們想給您開一個美好的宴會！”

如來佛留了下來，參加了天宮裡的宴會。宴會中有許多好吃的東西，還有一些仙桃。大家唱歌跳舞讀詩。客人讓如來佛給這個宴會一個名字。如來佛說：“我的朋友們，如果你們想要一個名字，我們就叫它‘天宮和平[73]大宴’。”

玉皇大帝、如來佛和所有的客人在天宮和平大宴上玩了很長時間。這個時候有一個人跑來說：“猴子想要離開出去！”

---

[73] 和平 hépíng – peace

Měigèrén dōu hěn hàipà, dànshì Rúlái fó shuō: "Bié dānxīn." Tā ná chū yī zhāng zhǐ, shàngmiàn yǒu liù gè jīnzì, "om mani padme hum". Rúlái fó shuō: "Bǎ zhè zhāng zhǐ fàng zài shāndǐng shàng." Dāng tāmen bǎ nà zhāng zhǐ fàng zài shāndǐng de shíhòu, wǔ zuò shān mǎshàng jǐn jǐn de lián zài yīqǐ, Sūn Wùkōng bùnéng líkāi nàlǐle.

Rúlái fó shuō: "Xiànzài hóuzi bùnéng líkāi nàlǐle, dànshì wǒ bùxiǎng ràng tā èzhe kězhe." Rúlái fó jiào láile tǔdì shén gàosù tā, rúguǒ Sūn Wùkōng èle, jiù gěi tā tiě qiú, rúguǒ tā kěle, jiù gěi tā rè tóng shuǐ. Rúlái fó hái ràng tǔdì shén kànzhe Sūn Wùkōng yīzhí dào yǒurén lái bǎ tā dài zǒu.

每個人都很害怕，但是如來佛說：“別擔心。”他拿出一張紙，上面有六個金字，“om mani padme hum”[74]。如來佛說：“把這張紙放在山頂上。”當他們把那張紙放在山頂的時候，五座山馬上緊[75]緊地連[76]在一起，孫悟空不能離開那裡了。

如來佛說：“現在猴子不能離開那裡了，但是我不想讓他餓著渴著。”如來佛叫來了土地神告訴他，如果孫悟空餓了，就給他鐵球，如果他渴了，就給他熱銅[77]水。如來佛還讓土地神看著孫悟空一直到有人來把他帶走。

---

[74] A Buddhist mantra, literally "the jewel is in the lotus"
[75] 緊 jǐn – tight
[76] 連 lián – to connect
[77] 銅 tóng – copper

Bié dānxīn, qīn'ài de! Sūn Wùkōng bù huì yīzhí zài wǔzhǐshān xià de. Yǒu yītiān, yīgè niánqīng de héshàng yào qù xīfāng, tā huì xūyào Sūn Wùkōng de bāngzhù! Dàn zhè shì lìng yīgè gùshì.

Wǎn'ān, wǒ de háizi. Wǒ ài nǐ.

別擔心，親愛的！孫悟空不會一直在五指山下的。有一天，一個年輕的和尚[78]要去西方，他會需要孫悟空的幫助！但這是另一個故事。

晚安，我的孩子。我愛你。

[78] 和尚 héshàng – monk

THE IMMORTAL PEACHES

My dear child, all day you have been asking me to tell you about Sun Wukong, the Handsome Monkey King. And all day I told you to wait until bedtime. Well, now it's bedtime, so I can tell you another story about the Monkey King and his time in Heaven and Earth. Tonight I will tell you about some trouble he had with peaches!

I already told you that the Monkey King was born as a small stone monkey in the country of Aolai, on Flower Fruit Mountain. He became king of the monkeys when he discovered a secret cave called Water Curtain Cave. After that, all the monkeys on Flower Fruit Mountain lived in Water Curtain Cave, safe and happy. But the Monkey King wanted to live forever, so he traveled far and studied with a great teacher who gave him the name Sun Wukong. He learned the secret of immortality and how to use cloud somersaults to travel very fast and very far. He also had a weapon, a golden rod. He could make this rod very large for fighting or very small to put in his ear.

Sun Wukong was a very powerful monkey, so the Jade Emperor in Heaven did not want him to cause trouble. So he invited Sun Wukong to live in heaven and be called 'Great Sage Equal to Heaven'. But Sun Wukong had no work to do. So he made friends, ate tasty meals, and traveled all around Heaven enjoying himself.

Now the Jade Emperor was worried that Sun Wukong would cause trouble because he had no work to do. So one day he called Sun Wukong to come see him. Sun Wukong arrived but did not bow to the Emperor. He just walked in and asked, "Great Emperor, what gift do you have for this old monkey?"

The Jade Emperor said, "I have no gift for you, but I have a job for you. You will take care of the Garden of Immortal Peaches. This is an important job. Be careful every day!"

Sun Wukong liked this, and right away he ran to the Garden of Immortal Peaches. He looked around. The garden looked beautiful and smelled wonderful. Everywhere he saw young beautiful trees with lovely flowers and fruits like large golden balls.

One of the garden workers, a local spirit, told Sun Wukong that the garden had 3600 peach trees. In the front, one third of the trees have small peaches that take 3000 years to ripen, and if a person eats them he will become immortal. In the middle, one third of the trees have sweet peaches that take 6000 years to ripen, and if a person eats them he will rise to Heaven and never grow old. And in the back, one third of the trees have beautiful purple peaches that take 9000 years to ripen, and if a person eats them, they will live to be as old as Heaven, the Earth, the sun and the moon.

Sun Wukong fell in love with the garden. He stopped traveling and stopped seeing his friends. Every day he was in the garden. One day he saw that some of the peaches were ripe. He really wanted to eat one, but he could not, because the workers were in the garden and he didn't want them to see him. So he asked the workers to leave the garden. Now he was all alone! He climbed up a tree and ate one of the peaches. It tasted very good. He ate another. He kept eating peaches until he was too full.

A few days later, the Queen Mother (that is, the Jade Emperor's mother) decided to give a feast. She wanted to have some immortal peaches in the feast. She asked seven of her immortal maidens – Red Gown, Blue Gown, White Gown, Black Gown, Purple Gown, Yellow Gown and Green Gown – to gather some peaches for the feast. The maidens went to the garden, but the local spirit told them to wait. "This year is different from last year," he said, "this year we have a new boss, the Great Sage Equal to Heaven. I must tell him that you are here."

"Where is he?" they asked.

"In the garden. He is tired and sleeping."

"The Queen Mother told us to get peaches. We must not be late. We will go to see him now."

The maidens and the local spirit went into the garden, but they could not find Sun Wukong. He had eaten many peaches and was too full, so he made himself only two inches tall and fell asleep on a tree branch.

The maidens said, "The Queen Mother told us to get peaches. So we will get peaches, with or without the Great Sage."

They started to pick ripe peaches, but they could only find a few because Sun Wukong had eaten many of them. The Blue Gown maiden found a good ripe peach and she pulled it off the branch. The branch flew up and hit the Monkey King. He fell to the ground. Waking up, he instantly grew to full size. He pulled his golden rod out of his ear and it grew to the thickness of a rice bowl. He shouted, "You monsters, where are you from, and why do you want to steal my peaches?"

The maidens were terrified, and said, "We are sorry, Great Sage! We are not monsters. We are just seven maidens, sent by the Queen Mother to get some immortal peaches for a great feast. We know that this is your garden, but we searched and could not find you. Please forgive us!"

Sun Wukong stopped being angry. He thought about the great feast and he smiled. "Thank you for inviting me to the feast!" he said.

The maidens didn't understand what he meant. They said, "We are sorry. We heard the names of the guests but did not hear your name, so we don't know if you are invited or not."

"No problem," he said. "Old Monkey will find out if he is invited. Stay here!" Then he used his magic so the maidens could not move. He did a cloud somersault and went to find the feast. As he was traveling, he met a handsome young man traveling the same direction as he was. He asked the man his name and where he was going.

"I am the Barefoot Immortal," said the handsome young man, "and I am going to the feast of the peaches."

"Oh," said Sun Wukong, "you are going the wrong way! This year the feast will be at the Palace of Light. The Emperor told me to tell everyone."

"I did not know that!", said the Barefoot Immortal. He turned around and went the other way, towards the Palace of Light. Then Sun Wukong changed himself to look like the Barefoot Immortal. He did another cloud somersault and arrived at the feast.

He was the first guest to arrive, but several workers were already there, preparing food. Looking around, he saw a hundred different kinds of tasty dishes. Then he smelled the aroma of wine. Sun Wukong was hungry and thirsty again, and he really wanted to taste the food and drink the wine! But he could not, because the other people would see him. What could he do? He used magic to make a cloud of insects. The insects flew and bit all the people, and they fell asleep.

Now Sun Wukong was all alone with the tasty food and the good-smelling wine. He ate until he was full, and he drank wine until he was very drunk. Then he thought: "Bad monkey! Bad monkey! The guests will be here soon, and I will be in big trouble. I must leave now!"

But things became even worse for Sun Wukong. He was too drunk and could not find his way home. Instead of going home, he found himself in the house of Laozi, the great medicine man.

"Oh well," Sun Wukong thought, "I wanted to go home, but now I am here. I always wanted to meet this Laozi. This is a good time to meet him!"

But Laozi was not home. He was out, teaching a class. Sun Wukong walked through all the rooms of Laozi's house, looking for him. He did not find Laozi, but he found five bottles full of magic golden pills. Laozi was planning to give these pills to the guests at the feast, to give them immortality.

What did Sun Wukong do? Of course, he ate all the golden pills! But now he was really afraid, and he thought: "Bad! Bad! I have brought big trouble on myself. If the Jade Emperor hears about this, he will kill me!" So he ran out of Laozi's house and used the cloud somersault to return to his home in Flower Fruit Mountain.

The monkeys in Flower Fruit Mountain were very happy to see their King. They said, "Great king, you have been gone for over a hundred years. Where did you go and what were you doing?"

Sun Wukong was only in Heaven for a few months. But a day in Heaven is the same as a year on Earth.

He said, "I am happy to tell you that the Jade Emperor gave me a very good job. He gave me the job of 'Great Sage Equal to Heaven'. I took care of the Garden of

Immortal Peaches. I ate one of the peaches. They tasted good so I ate a lot of them. Then I went to a great feast, even though I was not invited, and I ate a lot of food and drank a lot of wine. Then, drunk, I found myself in the house of the great Laozi, where I ate five bottles full of his golden pills. After I ate the pills, I was afraid that the Jade Emperor would hear about this, so I quickly came home."

The monkeys loved their king, so they prepared a feast for him and gave him a cup of home-made wine to drink. He tasted it, but immediately spat it out. "This tastes very bad!" he said.

The monkeys said, "The great King has been eating and drinking in Heaven. Of course the food and drink of Earth does not taste good to you!"

"No problem," he said, "I will get us some good wine!" Sun Wukong jumped up and used the cloud somersault to return to Heaven. He went to the feast and picked up four large bottles of the Emperor's best wine. He brought the bottles back to Flower Fruit Mountain, and he drank the wine with his friends.

Now, do you remember those seven immortal maidens? They were still in the same place! They could not move because of Sun Wukong's magic, so they stood under a tree in the garden of immortal peaches for a full day, until the magic ended and they could move again.

And now things started to get very bad for Sun Wukong.

First, the immortal maidens told the Queen Mother that Sun Wukong ate many of the immortal peaches and used his magic to keep them in the garden. The Queen Mother went right to her son the Emperor and told him this story.

Before the Queen Mother was finished speaking, some workers from the peach festival came and told the Emperor that someone had eaten all the food and drunk all the wine at the festival. Then the great Laozi himself came to the Emperor and told him that someone had entered his home and eaten all of his magic golden pills. And finally, the Barefoot Immortal came in and told the Emperor that someone had sent him to the wrong place for the peach festival!

This was too much for the Emperor. He became very angry. He called many of the immortals together. He called the Stars of East and West, the Gods of North and South, the Immortals of the Five Mountains, the Dragon Gods of the Four Rivers, the Spirits of Heaven, and an army of a hundred thousand men. The Emperor told them all to go down to Flower Fruit Mountain and arrest Sun Wukong.

The army threw a large net around Flower Fruit Mountain to keep Sun Wukong inside. Then they all gathered outside the Water Curtain Cave and waited.

Inside the cave, Sun Wukong was relaxing, drinking the Emperor's wine and chatting with his friends. Some frightened monkeys ran in and told him of the army outside the cave. But Sun Wukong was not worried. "You know the old saying: if you have wine today, drink it today, don't worry about troubles outside your door!"

But the troubles outside his door did not go away. The army of immortals broke down the door of his cave. One of them shouted, "You bad monkey! First, you ate the immortal peaches. Then you ate the food and drank the wine at the Festival of the Immortal Peaches. Then you ate Laozi's golden pills. And then you stole the Emperor's own wine for your pleasure."

"Ah, that is all true," smiled Sun Wukong. "But what are you going to do about it?"

"The Jade Emperor himself told us to come here and arrest you. Come with us, or we will kill all these monkeys and destroy your home."

Sun Wukong and the immortals shouted insults to each other for a while, then they began to fight. The fight went on for a very long time and I won't tell you all the details about it. It started when the sun came up in the east, and continued until the sun went down behind the western mountains. At nighttime, both sides rested and prepared to fight again the next day. The next day they fought again, but the huge army of immortals and soldiers could still not defeat Sun Wukong.

The Emperor did not know what to do. During the battle, a visitor came to see him. It was Guanyin, a Buddhist sage from the South Sea. She said, "Great

Emperor, I know someone who can defeat this awful monkey. Your nephew, Erlang, is a great fighter. When he was young, he killed six monsters. These days he does not fight very much, but perhaps he would help you."

So the Emperor wrote a letter to Erlang, requesting his help. Erlang agreed to help, and he traveled to Flower Fruit Mountain with six of his brothers and a large army. The other soldiers opened the net to let the newcomers inside.

When they arrived at Water Curtain Cave, Erlang shouted to Sun Wukong, and they shouted insults to each other for a while. Then they began to fight. Sun Wukong had beaten other immortals, but this time Erlang was too much for him. Sun Wukong fought and fought, but he became tired and still could not win. So he changed into a small bird and flew away.

Erlang saw Sun Wukong change into a bird and fly away, so he quickly changed into a hawk and flew after him. Sun Wukong saw this, and he changed into a small fish and dove into the river. Erlang thought: "Where did he go?" He flew above the river, then he saw the small fish and dove into the water to catch it. Quickly, Sun Wukong changed into a water snake. The snake swam through the water and went into the tall grass. Erlang saw this, and he quickly changed into a crane and went into the tall grass to catch the snake.

Sun Wukong saw this and changed into a big bird, but he knew that he would be captured anyway. So he flew down a hill and changed into a small Buddhist temple. His mouth was the doorway. His eyes were the windows. But what about his tail? It stood straight up in the air and became a flagpole.

Erlang changed back into a man and walked towards the temple. "Very strange," he said, "I have seen many temples, but I have never seen one with a flagpole. It must be that bad monkey Sun Wukong! If I go inside the temple he will eat me. So I will stay outside and just smash the temple!"

But before he could smash the temple, it disappeared, and Sun Wukong stood several miles away. Erlang saw him, and they began to fight again, face to face. Erlang's six brothers also arrived to help him.

During the fight, Guanyin and Laozi were watching from up in Heaven. They both wanted to help Erlang. Laozi said, "I have a golden armlet made of steel. It has strong magic and cannot be harmed by fire or water. Let's try it!"

So Laozi threw down the armlet. It landed on Sun Wukong and wrapped itself around his head. Sun Wukong fell down, and right away the seven brothers wrapped him up with heavy ropes. They thrust a knife into his chest so he could not use his magic anymore. And then the guards from Heaven carried him up to Heaven so they could kill him there.

But it was very difficult to kill Sun Wukong! He had

studied the Way and was immortal. He also had eaten many immortal peaches and Laozi's golden pills, so his body could not be harmed. The guards used many weapons, but they could not hurt him. They tried fire but it had no effect. They threw lightning bolts but nothing happened. Nobody knew what to do.

Finally, Laozi stepped forward and said, "This monkey ate the immortal peaches, he drank the Emperor's wine, and he stole my golden pills. All this went into his stomach and gave him a diamond body. That is why it is so difficult to hurt him. But, we can put him in a brazier and roast him slowly for forty-nine days. The fire will separate his body from the diamond, and he will die."

So the guards removed the knife from his chest, removed the ropes from his body, and threw him into the brazier. Laozi blew hard on the fire and made it very hot.

Forty-nine days later, Laozi opened the door of the brazier, thinking that Sun Wukong was dead. But he was not dead! Sun Wukong jumped out of the brazier, angry as a tiger. He hit everyone with his golden rod, he smashed doors and buildings, he fought with everyone who came near to him. The immortals of heaven were so frightened, they could only do one thing: they asked the great Buddha himself to come down and capture this dangerous monkey.

The Buddha himself arrived, with two of his students. They heard deafening shouts and the sound of breaking doors and buildings. He held up his hand and called for the fighters to stop. He said to Sun Wukong, "Come forward, monkey, and tell me your story. When were you born? How did you learn the Way? And why are you so very angry?"

So Sun Wukong told the Buddha the story of his life, from his birth as a small stone monkey on Flower Fruit Mountain until the present day. He said, "Now, the Earth is too small for me. I want to be Emperor in Heaven!"

The Buddha laughed. "Emperor in Heaven? You are just a monkey who learned a few things! You cannot be the Emperor. Look at the Jade Emperor. He started studying the Way when he was a small boy. He studied for 1,750 epochs, where each epoch is 120,600 years. Think of how many years he has studied. Compared to him, you are just a little animal who looks like a man. Stop talking like this right now!"

Sun Wukong replied, "Even if the Jade Emperor has studied for a long time, he should not stay here forever. Nobody should be Emperor forever. Tell him to give the Emperor's throne to me, right now."

The Buddha smiled and said, "Let's make a bet. You stand here on my right hand. Use your cloud somersault to fly away. If you can leave my hand, you are the winner, and I will ask the Jade Emperor to give his throne to you. But, if you cannot get away, you will go back to Flower Fruit Mountain and stay there for a few more epochs. Maybe you will learn something!"

Sun Wukong thought: "This man is a fool! Using one cloud somersault I can go a hundred thousand miles, but his hand is not even a foot wide. This will be easy!"

He said to the Buddha, "If I win this bet, you will really ask the Jade Emperor to give me his throne?"

The Buddha looked down at Sun Wukong and said, "Yes."

Sun Wukong jumped right up onto the Buddha's right hand, and he used the cloud somersault to fly away. The Buddha watched him fly and smiled. Sun Wukong flew for a long time, until he came to five tall pink mountains. He thought: "Good. I don't need to go any further. Now I will return to that foolish man, win the bet, and I will be the new Emperor. But first, I must leave something here."

He used his magic to make a brush and ink, and he wrote on one of the mountains, 'The Great Sage was here.' Also, he left a puddle of monkey urine at the base of the mountain. Bad monkey!

Sun Wukong turned around and used the cloud somersault to fly back to the Buddha. He said, "You lost the bet! I left your hand and flew very far. I arrived at a place with five pink mountains and wrote my name. Go there and see for yourself!"

"I don't need to go anywhere," said the Buddha. "Look here at my hand. And smell my hand too!" There on his fingers were written in tiny letters, 'The Great Sage was here.' And there was a smell of monkey urine. Sun Wukong saw that he had not left the Buddha's right hand.

He was very angry. He thought: "I don't believe it! I don't believe it! I will go there one more time!"

Sun Wukong was started to fly again, but the Buddha quickly flipped his hand upside down. His five fingers became five mountains that surrounded Sun Wukong so he could not leave.

The immortals in Heaven were pleased by this, and they recited this poem:

> *"He was born a monkey but learned to be human.*
> *He learned the Way and lived like a king.*
> *He wanted too much and caused trouble in Heaven.*
> *He stole food, wine and medicine, he insulted the gods.*
> *Who knows how long he will stay under the five mountains?"*

The Buddha was getting ready to leave, but just then, the Jade Emperor arrived and said, "Thank you for defeating that frightening monkey. Please stay here for another day. We want to give you a wonderful feast!"

The Buddha stayed, and there was a great feast in Heaven. Many delicious foods were served, including a few immortal peaches. There was singing and dancing and reciting of poetry. The guests asked the Buddha to give a name to the feast. He said, "My friends, if you want a name, let's call it 'The Great Feast for Peace in Heaven.' "

The Emperor, the Buddha, and all the guests stayed for a long time at The Great Feast for Peace in Heaven. Then a man came running up, saying: "The monkey is trying to get out!"

Everyone was frightened, but the Buddha said, "Don't worry". He made a small sign with gold writing: "om mani padme hum" and said, "Go put this sign on top of the mountain." The man did it, and right away the five mountains grew together tightly, so Sun Wukong could not leave.

The Buddha said, "Now the monkey cannot leave. But I do not want him to be hungry or thirsty." He called a local spirit and told him to give Sun Wukong iron balls if he was hungry, and hot melted copper if he was thirsty. He also told the local spirit to watch Sun Wukong until someone comes to take him away.

Don't worry, my dear one! Sun Wukong will not always live under the five finger mountains. Someday, a young monk will want to travel to the West, and he will need help from Sun Wukong! But that is a story for another day.

Good night, my child. I love you.

GLOSSARY

These are all the Chinese words used in this book. The "New?" column indicates where the word is first used. A blank means that the word is part of HSK 3 or is in common usage. A number means that the word is not in HSK 3, and it indicates the book in the *Journey to the West* series where it first appears.

Note that some new words or phrases, like 愛上 (ài shàng, to fall in love) are composed of characters that are already in HSK 3. These words are generally included in the glossary but are not defined in footnotes in the text.

Chinese	Pinyin	English	New?
啊	a	ah	
愛	ài	love	
愛上	ài shàng	to fall in love	
安全	ānquán	safety	1
奧萊國	ào lái guó	Aolai (a country)	1
吧	ba	(suggestion)	
把	bǎ	to bring it, to get it, to have it done	
白	bái	white	
方法	bānfǎ	method	
幫忙	bāngmáng	to help	
幫助	bāngzhù	to help	
飽	bǎo	full	
包	bāo	to wrap	
寶座	bǎozuò	throne	2
杯	bēi	cup	1
笨	bèn	stupid	1

比	bǐ	compared to	
變	biàn	to change	1
變成	biàn chéng	to become	
變出	biàn chū	to create, generate	
變迴	biàn huí	to change back	
別	bié	do not	
必須	bìxū	must, have to	
不	bù	not, do not	
不好	bù hǎo	not good	
不會	bù huì	cannot	
不可能	bù kěnéng	impossible	
不是	bùshì	no	
不死	bùsǐ	not die	2
不同	bùtóng	different	3
才	cái	just	
才會	cái huì	will only	
才能	cái néng	only can, ability	
參加	cānjiā	to participate	
草地	cǎodì	grassland	
插	chā	to insert	3
長	cháng	long	
唱歌	chànggē	to sing	
長生	chángshēng	longevity	
成, 成為	chéng, chéngwéi	to become	1
尺	chǐ	a Chinese foot	2
吃	chī	to eat	
吃飯	chīfàn	to eat a meal	
赤腳大仙	Chìjiǎo Dàxiān	Barefoot Immortal (name)	3

蟲子	chóngzi	insect(s)	3
出	chū	out	
窗	chuāng	window	3
吹起	chuī qǐ	to blow up	1
出來	chūlái	to come out	
出去	chūqù	to go out	
出生	chūshēng	born	1
從	cóng	from	
粗	cū	broad, thick	2
寸	cùn	inch	3
錯的	cuò de	incorrect	2
大	dà	big	
打,打啊	dǎ, dǎ a	to hit, to play	2
大喊	dà hǎn	to call out	1
打壞	dǎ huài	to hit badly, to bash	
大聖	dà shèng	great saint	
大王	Dà Wáng	Great King	
大宴	dà yàn	banquet	1
打敗	dǎbài	to defeat	3
大臣	dàchén	minister	2
大風	dàfēng	strong wind	
帶	dài	to bring	
帶迴	dài huí	to bring back	
帶走	dài zǒu	to take away	
大家	dàjiā	everyone	
打開	dǎkāi	to open	
但, 但是	dàn, dànshì	but	
丹	dān	pill or tablet	3
當	dāng	when	

當然	dāngrán	of course	
擔心	dānxīn	to worry	
大師	dàshī	grandmaster	
倒	dào	to fall	3
到	dào	to, until	
刀	dāo	knife	1
倒下	dǎo xià	to fall down	
打算	dǎsuàn	plan, intent	
的	de	of	
地	de	(adverbial particle)	
得	dé	(particle showing degree or possibility)	
等	děng	to wait	
等到	děngdào	to wait until	
等著	děngzhe	to wait for	
地	dì	ground	1
第一個	dì yī gè	first	
點	diǎn	point, spot	
掉	diào	to fall, to drop	3
地方	dìfāng	place	
地上	dìshàng	on the ground	
低頭	dītóu	head down	
動	dòng	to move	2
洞	dòng	cave	1
動物	dòngwù	animal	
東西	dōngxī	thing(s)	
東西二星	Dōngxī Erxīng	Stars of East and West (name)	3
都	dōu	all	
讀	dú	to read	

賭	dǔ	bet	3
對	duì	correct, to someone	
對罵	duì mà	to scold each other	3
對…來說	duì...lái shuō	to or for someone	
對不起	duìbùqǐ	I'm sorry	
對著	duìzhe	toward	
多	duō	many	
多長	duō cháng	how long?	
多少	duōshǎo	how many?	
肚子	dùzi	belly	3
餓	è	hungry	
二	èr	two	
而是	ér shì	instead	
耳朵	ěrduǒ	ear	
二郎	Erláng	Erlang (name)	3
兒子	érzi	son	
放	fàng	to put	
房間	fángjiān	room	
方向	fāngxiàng	direction	3
房子	fángzi	house	
發現	fāxiàn	to find	1
飛	fēi	to fly	2
飛到	fēi dào	to fly over	
非常	fēicháng	very much	
封	fēng	(measure word)	2
粉紅色	fěnhóngsè	pink	3
佛	fó, fú	buddha (title)	3
感到	gǎndào	to feel	1
剛	gāng	just	

鋼	gāng	steel	3
鋼做的	gāng zuò de	made of steel	
告訴	gàosù	to tell	
高興	gāoxìng	happy	
個	gè	(measure word)	
給	gěi	to give	
跟	gēn	with	
更	gèng	more	
工人	gōngrén	worker	3
工作	gōngzuò	work, job	
觀音	Guānyīn	Guanyin (name)	3
關於	guānyú	about	
過	guò	(after verb to indicate past tense)	
國王	guó wáng	king	
故事	gùshì	story	1
還	hái	also	
海	hǎi	sea	1
還有	hái yǒu	also have	
害怕	hàipà	afraid	
還是	háishì	still is	
孩子	háizi	child	
喊	hǎn	to shout	1
行	háng	row or line	3
好	hǎo	good	
好吧	hǎo ba	ok	2
好吃	hào chī	tasty	
好了	hǎo le	all right	
和	hé	with	
河	hé	river	

鶴	hè	crane	3
喝	hē	to drink	
和…比	hé...bǐ	compare wtih	
黑	hēi	black	
和平	hépíng	peace	3
和尚	héshàng	monk	3
喝著	hēzhe	drinking	
紅	hóng	red	
後	hòu	rear	
猴王	Hóu Wáng	Monkey King	1
後面	hòumiàn	behind	
猴,猴子	hóu, hóuzi	monkey	1
花	huā	flower	
花果山	Huāguǒ Shān	Flower Fruit Mountain	1
壞	huài	bad	
黃	huáng	yellow	
皇帝	huángdì	emperor	3
花園	huāyuán	garden	
迴	huí	back	
會	huì	meet	
迴家	huí jiā	to return home	
毀壞	huǐhuài	to smash, to destroy	3
活	huó	live	1
火	huǒ	fire	1
活著	huó zhe	alive	1
火盆	huǒpén	brazier	3
幾	jǐ	a few	
家	jiā	family, home	
見	jiàn	to meet	

件	jiàn	(measure word)	
講	jiǎng	to speak	
講課	jiǎngkè	lecture	
叫	jiào	to call	
記得	jìdé	to remember	
結束	jiéshù	end	
進	jìn	to enter	
緊	jǐn	tight	3
金	jīn	gold	2
金鋼套	Jīn Gāng Tào	gold steel armlet	3
金箍棒	Jīn Gū Bàng	Golden Hoop Rod	2
筋斗雲	jīndǒu yún	cloud somersault	1
進來	jìnlái	to come in	
進入	jìnrù	to enter	3
就	jiù	just	
酒	jiǔ	liquor	1
就要	jiù yào	about to, going to	
紀元	jìyuán	era, epoch	3
舉	jǔ	to lift	3
決定	juédìng	decision	
鞠躬	jūgōng	to bow	1
軍隊	jūnduì	army	3
開	kāi	to open	
開始	kāishǐ	to start	
看	kàn	to look	
看到	kàn dào	to see	
看起來	kàn qǐlái	looks like	1
看見	kànjiàn	to see	
烤	kǎo	to bake	3

渴	kě	thirsty	
棵	kē	(measure word)	3
可以	kě yǐ	can	
可能	kěnéng	may	
可怕	kěpà	frightening	1
客人	kèrén	guests	
空	kōng	air	
口	kǒu	mouth	
快	kuài	fast	
快樂	kuàilè	happy	
捆	kǔn	to tie up	3
來	lái	to come	
來說	lái shuō	for example	
藍	lán	blue	
老	lǎo	old	
老虎	lǎohǔ	tiger	3
老話	lǎohuà	old saying	
了	le	(indicates completion)	
雷電	lédiàn	lightning	1
累	lèi	tired	
立	lì	stand	3
裡	lǐ	in	
連	lián	to connect	3
連在一起	lián zài yīqǐ	connected together	
兩	liǎng	two	
厲害	lìhài	powerful	3
離開	líkāi	to go away	
裡面	lǐmiàn	inside	
另	lìng	another	2

留, 留下	liú, liú xià	to stay	2
六	liù	six	
禮物	lǐwù	gift	
龍	lóng	dragon	2
路	lù	road	
路上	lùshàng	on the road	2
嗎	ma	(question)	
罵	mà	to scold	1
麻煩	máfan	trouble	1
慢	màn	slow	
毛筆	máobǐ	brush	2
馬上	mǎshàng	right away	
美	měi	beautiful	1
每	měi	every	
沒問題	méi wèntí	no problem	1
美麗	měilì	beautiful	2
沒事	méishì	nothing	
沒有	méiyǒu	don't have	1
門	mén	door	
面對面	miànduìmiàn	face to face	3
廟	miào	temple	3
秘密	mìmì	secret	1
名字	míngzì	first name, name	
魔,魔力	mó, mólì	magic	3
墨	mò	ink	2
魔法	mófǎ	magic	3
拿	ná	to take	
那	nà	that	
拿出	ná chū	to take out	

拿開	ná kāi	to take away	
拿下	ná xià	remove	
拿走	ná zǒu	take away	
哪兒	nǎ'er	where	
那裡	nàlǐ	there	
哪裡	nǎlǐ	where	
那麼	nàme	so then	1
難	nán	difficult	
南北二神	Nánběi Er Shén	Gods of North and South	3
那些	nàxiē	those ones	1
那樣	nàyàng	that way	1
呢	ne	(particle)	
能	néng	can	
你	nǐ	you	
你的	nǐ de	your	
年	nián	year	
年輕	niánqīng	young	
尿	niào	urine	3
鳥	niǎo	bird	
你們	nǐmen	you (plural)	
您	nín	you (respectful)	
爬	pá	to climb	1
怕	pà	afraid	1
泡	pào	puddle	3
跑	pǎo	to run	1
朋友	péngyǒu	friend	
漂亮	piàoliang	beautiful	
瓶	píng	bottle	2
菩薩	púsà	bodhisattva, buddha	3

葡萄酒	pútáojiǔ	wine	
七	qī	seven	
齊天大聖	Qí Tiān Dà Shèng	Great Sage Equal to Heaven	2
強大	qiángdà	powerful	2
前面	qiánmiàn	front	
旗桿	qígān	flagpole	3
奇怪	qíguài	strange	
起來	qǐlái	(after verb, indicates start of an action)	1
親愛的	qīn'ài de	dear	1
請	qǐng	please	
情況	qíngkuàng	situation	3
其他	qítā	other	
球	qiú	ball	
去	qù	to go	
群	qún	group or cluster	3
去年	qùnián	last year	
讓	ràng	to let, to cause	
然後	ránhòu	then	
熱	rè	heat	
人	rén	person	
扔	rēng	to throw	3
人間	rénjiān	human world	2
人們	rénmen	people	
認識	rènshì	to know someone	
認為	rènwéi	to believe	
容易	róngyì	easy	
如果	rúguǒ	if, in case	
如來	Rúlái	Buddha (name)	3

殺	shā	kill	2
山	shān	mountain	1
山腳下	shān jiǎoxià	at the foot of the mountain	
山頂	shāndǐng	mountaintop	1
山洞	shāndòng	cave	1
上	shàng	on, up	
傷到	shāng dào	to hurt	2
上面	shàngmiàn	above	1
蛇	shé	snake	3
誰	shéi	who	
神	shén	god	1
生活	shēnghuó	life	1
生氣	shēngqì	angry	
聲音	shēngyīn	sound	
繩子	shéngzi	rope	3
什麼	shénme	what	
身上	shēnshang	on one's body	1
身體	shēntǐ	body	
神仙	shénxiān	immortal	1
石	shí	stone	1
時	shí	time	1
事	shì	thing	1
是	shì	yes, is	
詩	shī	poetry	1
是不是	shì bùshì	is or is not	2
是的	shì de	yes, it is	2
試試	shì shì	to try	2
十萬	shí wàn	one hundred thousand	

時候	shíhòu	time, moment, period	
時間	shíjiān	time, period	
事情	shìqíng	thing	
侍衛	shìwèi	guard	3
食物	shíwù	food	3
手	shǒu	hand	
首	shǒu	(measure word)	1
手中	shǒu zhōng	in hand	
受傷	shòushāng	injured	3
手指	shǒuzhǐ	finger	3
樹	shù	tree	
輸	shū	to lose	1
睡	shuì	to sleep	
水	shuǐ	water	
水果	shuǐguǒ	fruit	
睡覺	shuìjiào	go to bed	
水簾洞	Shuǐlián Dòng	Water Curtain Cave	1
睡著	shuìzhe	sleeping	2
說	shuō	to say	1
說完	shuō wán	finish telling	
說話	shuōhuà	to speak	
四	sì	four	
死	sǐ	dead	1
四周	sì zhōu	around	1
四江龍神	Sìjiāng Lóngshén	Dragon God of Four Rivers	3
死去	sǐqù	die	
送給	sòng gěi	to give a gift	
雖然	suīrán	although	

孫悟空	Sūn Wùkōng	Sun Wukong	1
所以	suǒyǐ	so, therefore	
所有	suǒyǒu	all	1
他	tā	he, him	
它	tā	it	
她	tā	she, her	
太	tài	too	
太多	tài duō	too much	2
太上老君	Tàishàng Lǎojūn	Laozi	3
太陽	tàiyáng	sunlight	
它們	tāmen	they	
他們	tāmen	they (male)	
她們	tāmen	they (female)	
桃	táo	peach	2
套	tào	armlet, loop	3
桃子	táozi	peach	3
甜	tián	sweet	
天	tiān	day, sky	1
天地	tiāndì	heaven and earth	1
天宮	tiāngōng	palace of heaven	2
天上	tiānshàng	heaven	1
天下	tiānxià	under heaven	
條	tiáo	(measure word)	
跳	tiào	to jump	1
跳舞	tiàowǔ	to dance	
鐵	tiě	iron	1
聽到	tīng dào	to hear	1
同	tóng	same	3
銅	tóng	copper	3

銅水	tóng shuǐ	liquid copper	
通明宫	Tōngmíng Gōng	Brilliant Palace	3
同意	tóngyì	to agree	
頭	tóu	head	1
吐	tǔ	to spit out	1
土地神	tǔdì shén	local earth spirit	3
外面	wàimiàn	outside	1
完	wán	to finish	
玩	wán	to play	
晚	wǎn	late	
碗	wǎn	bowl	
晚安	wǎn'ān	good night	1
網	wǎng	net, network	3
王母娘娘	Wángmǔ Niáng Niáng	Queen Mother	3
為	wèi	for	
位	wèi	(measure word)	
尾巴	wěibā	tail	3
為什麼	wèishéme	why	
危險	wéixiǎn	danger	1
問	wèn	to ask	
聞,聞到	wén, wéndào	smell	3
我	wǒ	I, me	
我的	wǒ de	mine	
我們	wǒmen	we, us	
五	wǔ	five	
武器	wǔqì	weapon	2
五山神仙	Wǔshān Shénxiān	God of Five Mountains	

五指山	wǔzhǐshān	five finger mountains	
西	xī	west	
下	xià	under	
下來	xiàlái	down	1
仙	xiān	immortal	2
先, 先是	xiān, xiānshi	first	
向	xiàng	towards	
像	xiàng	to resemble	
想	xiǎng	to want, to miss, to think of	
香	xiāng	fragrant	3
向下抓	xiàng xià zhuā	to grab downward	
相信	xiāngxìn	to believe, to trust	
仙女	xiānnǚ	fairy, female immortal	
仙桃園	Xiāntáo Yuán	Garden of Immortal Peaches	
現在	xiànzài	just now	
笑	xiào	to laugh	
小	xiǎo	small	
笑了起來	xiàole qǐlái	laughed	
小心	xiǎoxīn	be careful	
小字	xiǎozì	small print	
寫	xiě	to write	
些	xiē	some	
謝謝	xièxiè	thank you	
喜歡	xǐhuān	to like	1
信	xìn	letter	2
新	xīn	new	
新來的	xīn lái de	newcomer	

醒	xǐng	to wake up	1
胸	xiōng	chest	3
兄弟	xiōngdì	brothers	
休息	xiūxí	to rest	
許多	xǔduō	many	3
學,學習	xué, xuéxí	to study	
學生	xuéshēng	student	
需要	xūyào	to need	
樣子	yàngzi	to look like	3
宴會	yànhuì	banquet	1
眼睛	yǎnjīng	eye(s)	
藥	yào	medicine	3
要	yào	to want	
咬	yǎo	to bite, to sting	3
妖怪	yāoguài	monster	1
要求	yāoqiú	to request	
也	yě	also	
夜裡	yèlǐ	at night	3
一	yī	one	
衣, 衣服	yī, yīfu	clothes	
一百多種	yī bǎi duō zhǒng	hundreds of kinds	
一點	yī diǎn	a little	1
一開始	yī kāishǐ	at the beginning	
以前	yǐ qián	before	
一直	yī zhí	always	
一百多年	yībǎi duō nián	a century	
一次	yīcì	once	1
一定	yīdìng	for sure	

一共	yīgòng	altogether	
以後	yǐhòu	after	
一會兒	yīhuǐ'er	for a while	
已經	yǐjīng	already	
贏	yíng	to win	1
鷹	yīng	hawk	3
應該	yīnggāi	should	
因為	yīnwèi	because	
一起	yīqǐ	together	
一下	yīxià	a little bit	1
一些	yīxiē	some	1
一樣	yīyàng	same	
用	yòng	to use	
又	yòu	also	
右	yòu	right	
有	yǒu	to have	
又是	yòu shì	again	
有一天	yǒu yītiān	one day	1
游過	yóuguò	to swim across/through	
有人	yǒurén	someone	2
魚	yú	fish	
遇到	yù dào	encounter	
遠	yuǎn	far	
園工	yuán gōng	garden worker	
原諒	yuánliàng	to forgive	2
月亮	yuèliàng	moon	
玉皇大帝	Yùhuáng Dàdì	Jade Emperor	1
再	zài	again	

在	zài	in, at	
再一次	zài yīcì	one more time	
再次	zàicì	once again	2
怎麼	zěnme	how	
怎麼辦	zěnme bàn	how to do	
摘	zhāi	to pick	3
站	zhàn	to stand	
戰鬥	zhàndòu	to fight	
張	zhāng	(measure word)	
找	zhǎo	to find	
找到	zhǎodào	found	
照顧	zhàogù	to take care of	
找過	zhǎoguò	have looked for	
著	zhe	with	
這	zhè	this	
這位	zhè wèi	this one	
這樣	zhè yàng	such	1
這裡	zhèlǐ	here	
真的	zhēn de	really	
正好	zhènghǎo	just right	
這些	zhèxiē	these	1
祇	zhǐ	only	
紙	zhǐ	paper	2
支	zhī	(measure word)	2
知道	zhīdào	know	
祇是	zhǐshì	just	2
祇有	zhǐyǒu	only	2
侄子	zhízi	nephew	3
眾	zhòng	(measure word)	3

中	zhōng	in	
中間	zhōngjiān	in the middle	
重要	zhòngyào	important	
住	zhù	to live	
抓, 抓住	zhuā, zhuā zhù	to arrest, to grab	2
轉身	zhuǎnshēn	turned around	3
準備	zhǔnbèi	to prepare	
字	zì	word	
紫	zǐ	purple	3
自己	zìjǐ	oneself	
走	zǒu	to go	
走錯	zǒu cuò	to walk the wrong way	
走近	zǒu jìn	to approach	
走動	zǒudòng	to walk around	
走向	zǒuxiàng	to the direction	1
鑽石	zuànshí	diamond	3
醉	zuì	drunk	3
嘴	zuǐ	mouth	1
最好的	zuì hǎo de	the best	
最後	zuìhòu	at last, final	1
座	zuò	(measure word)	1
做	zuò	to do	

ABOUT THE AUTHORS

Jeff Pepper has worked for thirty years in the computer software business, where he has started and led several successful tech companies, authored two software related books, and was awarded three U.S. software patents. In 2017 he started Imagin8 Press (www.imagin8press.com) to serve English-speaking students of Chinese.

Xiao Hui Wang is a native Chinese speaker born in China. She came to the United States for studies in biomedical neuroscience and medical imaging, and has more than 25 years of experience in academic and clinical research. She has been teaching Chinese for more than 10 years, with extensive experience in translation English to Chinese as well as Chinese to English.

Made in the USA
Middletown, DE
24 January 2021